CHOIX DE POÈMES

JULES SUPERVIELLE

Choix de poèmes

GALLIMARD

POÈMES

(1919)

Denise, écoute-moi, tout sera paysage,
Un frais mystère tremble en mon cœur aujourd'hui,
La tristesse et la joie ont leur propre feuillage,
Et j'en sais dessiner l'enlacement fortuit.

L'heure vit, il te faut caresser son plumage
Qui garde les couleurs du jour et de la nuit ;
Je ferai battre au vent la tente du voyage
Dans l'aube qui sent bon comme un panier de fruits.

Ah ! ne me réponds pas qu'il est toujours facile
De plier à son goût une muse docile
Et que le vers sait bien que le poète ment ;

Ce sonnet que mûrit et gonfle l'espérance
Enclôt un tel désir d'écarter le tourment
Qu'il fera doux l'amour et chère la souffrance.

DÉBARCADÈRES

(1922)

LE RETOUR

Le petit trot des gauchos me façonne,
Les oreilles fixes de mon cheval m'aident à me situer.
Je retrouve dans sa plénitude ce que je n'osais plus envi-
sager, même par une petite lucarne,
Toute la Pampa étendue à mes pieds comme il y a sept ans.
O Mort ! me voici revenu.
J'avais pourtant compris que tu ne me laisserais pas revoir
ces terres,
Une voix me l'avait dit qui ressemblait à la tienne, et tu
ne ressembles qu'à toi-même,
Et aujourd'hui, je suis comme ce hennissement qui ne sait
pas que tu existes ;
Je trouve étrange d'avoir tant douté de moi et c'est de toi
que je doute, ô Surfaite,
Même quand mon cheval enjambe les os d'un bœuf pro-
prement blanchis par les vautours et par les aigles,
Ou qu'une odeur de bête fraîchement écorchée me tord le
nez quand je passe.
Je fais corps avec la Pampa qui ne connaît pas la mytho-
logie,
Avec le désert orgueilleux d'être le désert depuis les temps
les plus abstraits,
Il ignore les Dieux de l'Olympe qui rythment encore le
vieux monde.
Je m'enfonce dans la plaine qui n'a pas d'histoire et tend
de tous côtés sa peau dure de vache qui a toujours couché
dehors,

Et n'a pour végétation que quelques talas, ceibos, pitas,
Qui ne connaissent le grec ni le latin,
Mais savent résister au vent affamé du pôle,
De toute leur vieille ruse barbare
En lui opposant la croupe concentrée de leur branchage
grouillant d'épines et leurs feuilles en coups de hache.
Je me mêle à une terre qui ne rend de comptes à personne
et se défend de ressembler à ces paysages manufacturés
d'Europe, saignés par les souvenirs.
A cette nature exténuée et poussive qui n'a plus que des
quintes de lumière,
Et, repentante, efface l'hiver ce qu'elle fit pendant l'été.
J'avance sous un soleil qui ne craint pas les intempéries,
Et se sert sans lésiner de ses pots de couleur locale toute
fraîche
Pour des ciels de plein vent qui vont d'une fusée jusqu'au
zénith,
Et il saisit dans ses rayons, comme au lasso, un gaucho
monté, tout vif.
Les nuages ne sont point pour lui des prétextes à une
mélancolie distinguée,
Mais de rudes amis d'une autre race, ayant d'autres habi-
tudes, avec lesquels on peut causer,
Et les orages courts sont de brusques fêtes communes
Où ciel, soleil et nuages
Y vont de bon cœur et tirent jouissance de leur propre
plaisir et de celui des autres,
Où la Pampa
Roule ivre-morte dans la boue palpitante où chavirent les
lointains,
Jusqu'à l'heure des hirondelles
Et des derniers nuages, le dos rond dans le vent du sud,
Quand la terre, sur tout le pourtour de l'horizon bien
accroché,
Sèche ses flaques, son bétail et ses oiseaux
Au ciel retentissant des jurons du soleil qui cherche à
rassembler ses rayons dispersés.

LE GAUCHO

Les chiens fauves du soleil couchant harcelaient les vaches
Innombrables dans la plaine creusée d'âpres mouvements,
Et tous les poils se brouillèrent sous le hâtif crépuscule.

Un cavalier occupait la pampa dans son milieu
Comme un morceau d'avenir assiégé de toutes parts ;
Ses regards au loin roulaient sur cette plaine de chair
Raboteuse comme après quelque tremblement de terre
Et les vaches ourdissaient un silence violent,
Tapis noir en équilibre sur la pointe de leurs cornes,
Mais tout d'un coup fustigées par une averse d'étoiles
Elles bondissaient fuyant dans un galop de travers,
Leurs cruels yeux de fer rouge incendiant l'herbe sèche,
Et leurs queues les poursuivant, les mordant comme des
                                                        [diables,
Puis s'arrêtaient et tournaient toutes leurs têtes horribles
Vers l'homme immobile et droit sur son cheval bien forgé.

Parfois un taureau sans bruit se séparait de la masse
Fonçant sur le cavalier du poids de sa tête basse ;
Lui, l'arrêtait avec les deux lances de son regard
Faisant tomber le taureau à genoux, puis de côté,
Les yeux crevés, un sang jeune alarmant sa longue bave
Et les cornes inutiles près des courtes pattes mortes.
Cependant mille moutons usés par le clair de lune
Disparaissaient dans la nuit décocheuse de hiboux.

Précédant d'obscurs chevaux lourds de boue de l'an dernier
Des étalons galopaient, les naseaux dans l'inconnu,
Arrachant au sol nocturne de résonnantes splendeurs.
La pampa se descellait, lâchant ses plaines de cuivre,
Ses réserves de désert qui s'entre-choquaient, cymbales !
Ses lieues carrées de maïs, brûlant de flammes internes,
Et ses aigles voyageurs qui dévoraient les étoiles,
Ses hauts moulins de métal, aux tournantes marguerites,
Ames-fleurs en quarantaine mal délivrées de leurs corps
Qui luttaient pour s'exhaler entre la terre et le ciel.

Sur des landes triturées tout le jour par le soleil
Poussaient des cactus crispés dans leur gêne végétale,
Des chardons comme le Christ, abandonnés aux épines,
Et des ronces qui cherchaient d'autres ronces pour mourir.

Puis un grêle accordéon de ses longs doigts musicaux
Toucha l'homme et ses ténèbres dans la zone de son cœur.
Alors laissant là les vaches, la nuit épaisse de souffles
Qui s'obstinaient à durcir, l'homme entra dans le rancho
Où le foyer consumait de la bouse desséchée ;
A ras du sol lentement il allongea son corps maigre
Et son âme par la nuit encore toute empierrée
Auprès de ses compagnons renversés dans un sommeil
Où les anges n'entraient pas et qui tenaient bien en mains
Leurs rauques chevaux osseux sur la piste de leurs songes.

LA PISTE

La piste que mangent des foulées et des trous,
Que tord la sécheresse harassée d'elle-même,
Hésite de toute sa largeur où cinquante bœufs peuvent
    avancer de front.
Et son souffle est coupé par des crevasses brusques
Comme par des hoquets ;
Elle engendre des sentiers vite étouffés de chardons et de
    ronces
Puis follement pique un cent mètres
Et s'arrête un instant devant une flaque tarie
Où naguère elle buvait un petit peu de ciel
Et du courage.
Passe une diligence traversée par le vent
Chevaux, harnachements et les sombres gauchos,
Traversés par le vent
Comme s'ils n'étaient plus depuis longtemps de ce monde
De chaque côté de la piste
L'horizon tire à soi
Ses terres desséchées,
Obligées de nourrir l'innombrable famille
Des vaches aux flancs pointus
Avec des chardons morts et de l'herbe posthume.

LA VACHE DE LA FORÊT

Elle est tendue en arrière
Et le regard même arqué,
Elle souffle sur le fleuve
Comme pour le supprimer.
Ces planches jointes flottantes,
Ce bateau plat qu'on approche
Est-ce fait pour une vache
Colorée par l'herbe haute,
Aimant à mêler son ombre
A l'ombre de la forêt ?

Sur la boue vive elle glisse
Et tombe pattes en l'air.
Alors vite on les attache
Et l'on en fait un bouquet,
On en fait un bouquet âpre
D'une lanière noué,
Tandis qu'on tire sa queue,
Refuge de volonté ;
Puis on traîne dans la barque
Ce sac essoufflé à cornes,
Aux yeux noirs coupés de blanche
Angoisse, par le milieu.

Obscure dans le canot,
La vache quittait la terre ;
Dans le petit jour glissant,
Les pagayeurs pagayaient.
Aux flancs noirs du paquebot
Qui secrète du Destin,
Le canot enfin s'amarre.
A une haute poulie
On attache par les pattes
La vache qu'on n'oublie pas,
Harcelée de cent regards
Qui la piquent comme taons.
Puis l'on hisse par degrés
L'animal presque à l'envers,
Le ventre plein d'infortune,
La corne prise un instant
Entre barque et paquebot
Craque comme une noix sèche.
Sur le pont voici la vache
Suspectée par un bœuf noir
Immobile dans un coin
Qu'il clôturait de sa bouse.
Près de lui elle s'affale
Une corne sur l'oreille
Et voudrait se redresser,
Mais son arrière-train glisse
De soi-même abandonné,
Et n'ayant à ruminer
Que le pont tondu à ras
Elle attend le lendemain.
Tout le jour le bœuf lécha
Un sac troué de farine ;
La vache le voyait bien.
Vint enfin le lendemain
Avec son pis plein de peines.
Près du bœuf qui regardait,
Luisaient au soleil nouveau,
Entre des morceaux de jour,
Deux maigres quartiers de viande,
Côtes vues par le dedans.

La tête écorchée que hantent
Ses dix rouges différents,
Près d'un cœur de boucherie,
Et, formant un petit tas,
Le cuir loin de tout le reste,
Douloureux d'indépendance,
Fumant à maigres bouffées.

Paranà, 1920.

DERRIÈRE CE CIEL ÉTEINT...

Derrière ce ciel éteint et cette mer grise
Où l'étrave du navire creuse un modeste sillon,
Par delà cet horizon fermé,
Il y a le Brésil avec toutes ses palmes,
D'énormes bananiers mêlant leurs feuilles comme des élé-
*   phants leurs mouvantes trompes,*
Des fusées de bambous qui se disputent le ciel,
De la douceur en profondeur, un fourré de douceur,
Et de purs ovales féminins qui ont la mémoire de la volupté.
Voici que peu à peu l'horizon s'est décousu,
Et la terre s'est allongé une place fine.
Apparaissent des cimes encore mal sorties du néant, mais
*   qui tout de suite malgré les réticences des lointains,*
Ont le prestige des montagnes.
Déjà luisent des maisons le long de la bruissante déchirure
*   des plages ;*
Dans le glissement du paysage, sur un plan huilé,
Déjà voici une femme assise au milieu d'un suave champ
*   de cannes,*
Et parvient jusqu'à moi
La gratitude de l'humus rouge après les tropicales pluies.

SAN   BERNARDINO

Que j'enferme en ma mémoire,
Ma mémoire et mon amour,
Le parfum féminin des courbes Colonies,
Cet enfant nu-fleuri dans la mantille noire
De sa mère passant sous la conque du jour,
Ces plantes à l'envi, et ces feuilles qui plient,
Ces verts mouvants, ces rouges frais,
Ces oiseaux inespérés,
Et ces houles d'harmonies,
J'en aurai besoin un jour.

J'aurai besoin de vous, souvenirs que je veux
Modelés dans l'honneur lisse des ciels heureux,
Vous me visiterez secourables audaces,
Azur vivace d'un espace
Où chaque tronc à la recherche de son âme
Finit toujours par se livrer aux palmes,
Où la fleur mouille en l'infini
De la couleur et du parfum qu'elle a choisis,
Où je suis arrivé plein d'Europe et d'escales
Ayant toujours appareillé,
Et, sous le regard pur de ces heures égales,
Du fard des jours errants je me suis dépouillé.

AUX OISEAUX

Paroares, rolliers, calandres, ramphocèles,
Vives flammes, oiseaux arrachés au soleil,
Dispersez, dispersez, dispersez le cruel
Sommeil qui va saisir mes obscures prunelles !

Fringilles, est-ce vous, euphones, est-ce vous,
Qui viendréz émouvoir de rameuses lumières
Cette torpeur qui veut se croire coutumière
Et qui renonce au jour n'en sachant plus le goût ?

Libre, je veux enfin dépasser l'heure étale,
Voir le ciel délirer sous une effusion
D'hirondelles criant mille autres horizons,
Vivre, enfin rassuré, l'ivresse spatiale.

S'il le faut, pour briser des tristesses durcies,
Je hélerai, du seuil des secrètes forêts,
Un vol haché de verts et rouges perroquets
Qui feront éclater mon âme en éclaircies !

GRAVITATIONS

(1925)

à Valery Larbaud.

LE PORTRAIT

Mère, je sais très mal comme l'on cherche les morts,
Je m'égare dans mon âme, ses visages escarpés,
Ses ronces et ses regards.
Aide-moi à revenir
De mes horizons qu'aspirent des lèvres vertigineuses,
Aide-moi à être immobile,
Tant de gestes nous séparent, tant de lévriers cruels !
Que je penche sur la source où se forme ton silence
Dans un reflet de feuillage que ton âme fait trembler.
Ah ! sur ta photographie
Je ne puis pas même voir de quel côté souffle ton regard.
Nous nous en allons pourtant, ton portrait avec moi-même,
Si condamnés l'un à l'autre
Que notre pas est semblable
Dans ce pays clandestin
Où nul ne passe que nous.
Nous montons bizarrement les côtes et les montagnes
Et jouons dans les descentes comme des blessés sans
    mains.
Un cierge coule chaque nuit, gicle à la face de l'aurore,
L'aurore qui tous les jours sort des draps lourds de la mort,
A demi asphyxiée,
Tardant à se reconnaître.

Je te parle durement, ma mère,
Je parle durement aux morts parce qu'il faut leur parler
    dur,

Pour dominer le silence assourdissant
Qui voudrait nous séparer, nous les morts et les vivants.
J'ai de toi quelques bijoux comme des fragments de l'hiver
Qui descendent les rivières.
Ce bracelet fut de toi qui brille en la nuit d'un coffre
En cette nuit écrasée où le croissant de la lune
Tente en vain de se lever
Et recommence toujours, prisonnier de l'impossible.

J'ai été toi si fortement, moi qui le suis si faiblement,
Et si rivés tous les deux que nous eussions dû mourir
*   ensemble,*
Comme deux matelots mi-noyés, s'empêchant l'un l'autre
*   de nager,*
Se donnant des coups de pied dans les profondeurs de
*   l'Atlantique*
Où commencent les poissons aveugles
Et les horizons verticaux.

Parce que tu as été moi
Je puis regarder un jardin sans penser à autre chose,
Choisir parmi mes regards,
M'en aller à ma rencontre.
Peut-être reste-t-il encore
Un ongle de tes mains parmi les ongles de mes mains,
Un de tes cils mêlé aux miens ;
Un de tes battements s'égare-t-il parmi les battements
*   de mon cœur,*
Je le reconnais entre tous
Et je sais le retenir.

Mais ton cœur bat-il encore ? Tu n'as plus besoin de cœur,
Tu vis séparée de toi comme si tu étais ta propre sœur,
Ma morte de vingt-huit ans,
Me regardant de trois-quarts,
Avec l'âme en équilibre et pleine de retenue.
Tu portes la même robe que rien n'usera plus,
Elle est entrée dans l'éternité avec beaucoup de douceur
Et change parfois de couleur, mais je suis seul à savoir.

Anges de marbre, lions de bronze, et fleurs de pierre,
C'est ici que rien ne respire.
Et voici à mon poignet
Le pouls minéral des morts,
Celui-là que l'on entend si l'on approche le corps
Des strates du cimetière.

A UNE ENFANT

Que ta voix à travers les portes et les murs
Me trouve enfin dans ma chambre, caché par la poésie.
O enfant qui es mon enfant,
Toi qui as l'étonnement de la corbeille peu à peu garnie
*   de fleurs et d'herbes odorantes*
Quand elle se croyait oubliée dans un coin,
Et tu regardes de mon côté comme en pleine forêt l'écri-
*   teau qui montre les routes.*
La peinture est visible à peine,
On confond les distances
Mais on est rassuré.

O dénuement !
Tu n'es même pas sûre de posséder ta petite robe ni tes
*   pieds nus dans tes sandales*
Ni que tes yeux soient bien à toi, ni même leur étonnement,
Ni cette bouche charnue, ni ces paroles retenues,
As-tu seulement le droit de regarder du haut en bas ces
*   arbres qui barrent le ciel du jardin*
Avec toutes ces pommes de pin et ces aiguilles qui four-
*   millent ?*
Le ciel est si large qu'il n'est peut-être pas de place en
*   dessous pour une enfant de ton âge,*
Trop d'espace nous étouffe autant que s'il n'y en avait
*   pas assez,*
Et pourtant il te faut, comme les personnes grandes,

Endurer tout l'univers avec son sourd mouvement,
Même les fourmis s'en accommodent et les petits des
fourmis.
Comment faire pour accueillir les attelages sur les routes,
à des vitesses différentes,
Et les chaudières des navires qui portent le feu sur la mer ?
Tes yeux trouveraient dans les miens le secours que l'on
peut tirer
De cette chose haute à la voix grave qu'on appelle un père
dans les maisons
S'il ne suffisait de porter un regard clair sur le monde.

L'ÂME ET L'ENFANT

Ton sourire, Françoise, est fluide d'enfance
Et le monde où tu vis encor mal éclairé,
Mais ton âme déjà luit dans sa ressemblance,
Elle a la joue aimante et le teint coloré.

Et vous vous en allez comme des sœurs jumelles
Dont l'une est faite d'air du matin ou du soir.
Si je me mets devant ses légères prunelles
Je sais que l'autre attend sa part de mes regards.

Vienne une promenade et vous voici parées
Et courant à l'envi derrière l'avenir.
Laquelle va devant, dans sa grâce égarée,
Laquelle va derrière, et prise par un fil ?

Le vent et le soleil si bien vous multiplient
Que vous faites courir les rives de la vie.

APPARITION

à Max Jacob.

Qui est là ? Quel est cet homme qui s'assied à notre table
Avec cet air de sortir comme un trois-mâts du brouillard,
Ce front qui balance un feu, ces mains d'écume marine,
Et couverts les vêtements par un morceau de ciel noir ?
A sa parole une étoile accroche sa toile araigneuse,
Quand il respire il déforme et forme une nébuleuse.
Il porte, comme la nuit, des lunettes cerclées d'or
Et des lèvres embrasées où s'alarment des abeilles,
Mais ses yeux, sa voix, son cœur sont d'un enfant à
    l'aurore.
Quel est cet homme dont l'âme fait des signes solennels ?
Voici Pilar, elle m'apaise, ses yeux déplacent le mystère ;
Elle a toujours derrière elle comme un souvenir de famille
Le soleil de l'Uruguay qui secrètement pour nous brille,
Mes enfants et mes amis, leur tendresse est circulaire
Autour de la table ronde, fière comme l'univers ;
Leurs frais sourires s'en vont de bouche en bouche fidèles,
Prisonniers les uns des autres, ce sont couleurs d'arc-en-
    ciel.

Et comme dans la peinture de Rousseau le douanier,
Notre tablée monte au ciel voguant dans une nuée.
Nous chuchotons seulement tant on est près des étoiles,
Sans cartes ni gouvernail, et le ciel pour bastingage.
Comment vinrent jusqu'ici ces goëlands par centaines

Quand déjà nous respirons un angélique oxygène.
Nous cueillons et recueillons du céleste romarin,
De la fougère affranchie qui se passe de racines,
Et comme il nous est poussé dans l'air pur des ailes longues
Nous mêlons notre plumage à la courbure des mondes.

UNE ÉTOILE TIRE DE L'ARC

Toutes les brebis de la lune
Tourbillonnent vers ma prairie
Et tous les poissons de la lune
Plongent loin dans ma rêverie.

Toutes ses barques, ses rameurs,
Entourent ma table et ma lampe
Haussant vers moi des fruits qui trempent
Dans le vertige et la fraîcheur.

Jusqu'aux astres indéfinis
Qu'il fait humain, ô destinée !
L'univers même s'établit
Sur des colonnes étonnées.

Oiseau des îles outre-ciel
Avec tes nuageuses plumes
Qui sais dans ton cœur-archipel
Si nous serons et si nous fûmes,

Toi qui mouillas un jour tes pieds
Où le bleu de nuits prend sa source,
Et prends le soleil dans ton bec
Quand tu le trouves sur ta course,

La terre lourde se souvient,
Oiseau, d'un monde aérien,
Où la fatigue est si légère
Que l'abeille et le rossignol
Ne se reposent qu'en plein vol
Et sur des fleurs imaginaires.

Une étoile tire de l'arc
Perçant l'infini de ses flèches
Puis soulève son étendard
Qu'une éternelle flamme lèche,

Un chêne croyant à l'été
Quand il n'est que l'âme d'un chêne
Offre son écorce ancienne
Au vent nu de l'éternité.

Ses racines sont apparentes,
Un peu d'humus y tremble encor,
L'ombre d'autrefois se lamente
Et tourne autour de l'arbre mort.

Un char halé par des bœufs noirs
Qui perdit sa route sur terre
La retrouve au tournant de l'air
Où l'aurore croise le soir,

Un nuage, nouveau Brésil,
Emprisonnant d'immenses fleuves,
Dans un immuable profil
Laisse rouler sur lui les heures.

Un nuage, un autre nuage,
Composés d'humaines prières
Se répandent en sourds ramages
Sans parvenir à se défaire.

47, BOULEVARD LANNES

Boulevard Lannes, que fais-tu si haut dans l'espace
Et tes tombereaux que tirent des percherons l'un derrière
   l'autre,
Les naseaux dans l'éternité
Et la queue balayant l'aurore ?
Le charretier suit, le fouet levé,
Une bouteille dans sa poche.
Chaque chose a l'air terrestre et vit dans son naturel.
Boulevard Lannes, que fais-tu au milieu du ciel
Avec tes immeubles de pierre que viennent flairer les
   années,
Si à l'écart du soleil de Paris et de sa lune
Que le réverbère ne sait plus s'il faut qu'il s'éteigne ou
   s'allume,
Et que la laitière se demande si ce sont bien des maisons,
Avançant de vrais balcons,
Et si tintent à ses doigts des flacons de lait ou des mondes ?
Près du ruisseau, un balayeur de feuilles mortes de
   platanes
En forme un tas pour la fosse commune de tous les platanes
Échelonnés dans le ciel.
Ses mouvements font un bruit aéré d'immensité
Que l'âme voudrait imiter.
Ce chien qui traverse la chaussée miraculeusement
Est-ce encore un chien respirant ?
Son poil sent la foudre et la nue
Mais ses yeux restent ingénus

Dans la dérivante atmosphère
Et je doute si le boulevard
N'est pas plus large que l'espace entre le Cygne et
    Bételgeuse.
Ah ! si je colle l'oreille à l'immobile chaussée
C'est l'horrible galop des mondes, la bataille des vertiges ;
Par la fente des pavés
Je vois que s'accroche une étoile
A sa propre violence
Dans l'air creux insaisissable
Qui s'enfuit de toutes parts.

Caché derrière un peu de nuit comme par une colonne,
En étouffant ma mémoire qui pourrait faire du bruit,
Je guette avec mes yeux d'homme
Mes yeux venus jusqu'ici,
Par quel visage travestis ?
Autour de moi je vois bien que c'est l'année où nous
    sommes
Et cependant on dirait le premier jour du monde,
Tant les choses se regardent fixement,
Entourées d'un mutisme différent.

Ce pas lourd sur le trottoir
Je le reconnais, c'est le mien,
Je l'entends partir au loin,
Il s'est séparé de moi
(Ne lui suis-je donc plus rien)
S'en va maintenant tout seul,
Et se perd au fond du Bois.
Si je crie on n'entend rien
Que la plainte de la Terre,
Palpant vaguement sa sphère,
A des millions de lieues,
S'assurant de ses montagnes,
De ses fleuves, ses forêts,
Attisant sa flamme obscure
Où se chauffe le futur
(Il attend que son tour vienne.)

*Puisque je reconnais la face de ma demeure dans cette
    altitude,*
Je vais accrocher les portraits de mon père et de ma mère
Entre deux étoiles tremblantes ;
Je poserai la pendule ancienne du salon
Sur une cheminée taillée dans la nuit dure,
Et le savant qui un jour les découvrira dans le ciel
En chuchotera jusqu'à sa mort.
*Mais il faudra très longtemps pour que ma main aille et
    vienne*
Comme si elle manquait d'air, de lumière et d'amis,
Dans le ciel endolori
Qui faiblement se plaindra
Sous les angles des objets qui seront montés de la Terre.

PROPHÉTIE

à Jean Cassou.

Un jour la Terre ne sera
Qu'un aveugle espace qui tourne,
Confondant la nuit et le jour.
Sous le ciel immense des Andes
Elle n'aura plus de montagnes,
Même pas un petit ravin.

De toutes les maisons du monde
Ne durera plus qu'un balcon
Et de l'humaine mappemonde
Une tristesse sans plafond.
De feu l'Océan Atlantique
Un petit goût salé dans l'air,
Un poisson volant et magique
Qui ne saura rien de la mer.

D'un coupé de mil-neuf-cent-cinq
(Les quatre roues et nul chemin !)
Trois jeunes filles de l'époque
Restées à l'état de vapeur
Regarderont par la portière
Pensant que Paris n'est pas loin
Et ne sentiront que l'odeur
Du ciel qui vous prend à la gorge.

A la place de la forêt
Un chant d'oiseau s'élèvera
Que nul ne pourra situer,
Ni préférer, ni même entendre,
Sauf Dieu qui, lui, l'écoutera
Disant : « C'est un chardonneret ».

LE SURVIVANT

à Alfonso Reyes.

Lorsque le noyé se réveille au fond des mers et que son
    cœur
Se met à battre comme le feuillage du tremble,
Il voit approcher de lui un cavalier qui marche l'amble
Et qui respire à l'aise et lui fait signe de ne pas avoir peur.
Il lui frôle le visage d'une touffe de fleurs jaunes
Et se coupe devant lui une main sans qu'il y ait une goutte
    de rouge.
La main est tombée dans le sable où elle fond sans un
    soupir,
Une autre main toute pareille a pris sa place et les doigts
    bougent.

Et le noyé s'étonne de pouvoir monter à cheval,
De tourner la tête à droite et à gauche comme s'il était
    au pays natal,
Comme s'il y avait alentour une grande plaine, la liberté,
Et la permission d'allonger la main pour cueillir un fruit
    de l'été.

Est-ce donc la mort cela, cette rôdeuse douceur
Qui s'en retourne vers nous par une obscure faveur ?

Et serais-je ce noyé chevauchant parmi les algues
Qui voit comme se reforme le ciel tourmenté de fables ?

LE MATIN DU MONDE

Alentour naissaient mille bruits
Mais si pleins encor de silence
Que l'oreille croyait ouïr
Le chant de sa propre innocence.

Tout vivait en se regardant,
Miroir était le voisinage,
Où chaque chose allait rêvant
A l'éclosion de son âge.

Les palmiers trouvant une forme
Où balancer leur plaisir pur
Appelaient de loin les oiseaux
Pour leur montrer leurs dentelures.

Un cheval blanc découvrait l'homme
Qui s'avançait à petit bruit,
Avec la Terre autour de lui
Tournant pour son cœur astrologue.

Le cheval bougeait les naseaux
Puis hennissait comme en plein ciel,
Et tout entouré d'irréel
S'abandonnait à son galop.

Dans la rue, des enfants, des femmes,
A de beaux nuages pareils,
S'assemblaient pour chercher leur âme
Et passaient de l'ombre au soleil.

Mille coqs traçaient de leurs chants
Les frontières de la campagne
Mais les vagues de l'océan
Hésitaient entre vingt rivages.

L'heure était si riche en rameurs,
En nageuses phosphorescentes
Que les étoiles oublièrent
Leurs reflets dans les eaux parlantes.

MONTÉVIDÉO

à Guillermo de Torre.

Je naissais, et par la fenêtre
Passait une fraîche calèche.

Le cocher réveillait l'aurore
D'un petit coup de fouet sonore.

Flottait un archipel nocturne
Encor sur le liquide jour.

Les murs s'éveillaient et le sable
Qui dort écrasé dans les murs.

Un peu de mon âme glissait
Sur un rail bleu, à contre-ciel,

Et un autre peu, se mêlant
A un bout de papier volant

Puis, trébuchant sur une pierre,
Gardait sa ferveur prisonnière.

Le matin comptait ses oiseaux
Et toujours il recommençait.

Le parfum de l'eucalyptus
Se fiait à l'air étendu.

Dans l'Uruguay sur l'Atlantique,
L'air était si liant, facile,
Que les couleurs de l'horizon
S'approchaient pour voir les maisons.

C'était moi qui naissais jusqu'au fond sourd des bois
Où tardent à venir les pousses
Et jusque sous la mer où l'algue se retrousse
Pour faire croire au vent qu'il peut descendre là.

La Terre allait, toujours recommençant sa ronde,
Reconnaissant les siens avec son atmosphère,
Et palpant sur la vague ou l'eau douce profonde
La tête des nageurs et les pieds des plongeurs.

SANS MURS

à Ramon **Gomez** de la Serna.

Tout le ciel est taché d'encre comme les doigts d'un enfant.
Où l'école et le cartable ?
Dissimule cette main — elle aussi a des taches noires —
Sous le bois de cette table.
Quarante visages d'enfants divisent ma solitude.
Qu'ai-je fait de l'océan,
Dans quel aérien désert sont morts les poissons volants ?
J'ai seize ans de par le monde et sur les hautes montagnes,
J'ai seize ans sur les rivières et autour de Notre Dame,
Dans la classe de Janson
Où je vois le temps passer sur le cadran de mes paumes.
Le bruit de mon cœur m'empêche d'écouter le professeur.
J'ai déjà peur de la vie avec ses souliers ferrés
Et ma peur me fait si honte que j'égare mon regard
Dans un lointain où ne peut comparaître le remords.
Le pas des chevaux sur l'asphalte brille dans mon âme
*   humide*
Et se reflète à l'envers, entrecroisé de rayons.
Une mouche disparaît dans les sables du plafond.
Le latin autour de nous campe et nous montre sa lèpre ;
Je n'ose plus rien toucher sur la table de bois noir.
Lorsque je lève les yeux, à l'Orient de la chaire
Je vois une jeune fille, de face comme la beauté,
De face comme la douleur, comme la nécessité.
Une jeune fille est assise, elle fait miroiter son cœur

Comme un bijou plein de fièvre aux distantes pierreries.
Un nuage de garçons glisse toujours vers ses lèvres
Sans qu'il paraisse avancer.
On lui voit une jarretière, elle vit loin des plaisirs,
Et la jambe demi-nue, inquiète, se balance.
La gorge est si seule au monde que nous tremblons qu'elle
   ait froid,
(Est-ce ma voix qui demande si l'on peut fermer les
   fenêtres ?)
Elle aimerait à aimer tous les garçons de la classe,
La jeune fille apparue,
Mais sachant qu'elle mourra si le maître la découvre
Elle nous supplie d'être obscurs afin de vivre un moment
Et d'être une jolie fille au milieu d'adolescents.
La mer dans un coin du globe compte, recompte ses vagues
Et prétend en avoir plus qu'il n'est d'étoiles au ciel.

MATHÉMATIQUES

à Maria Blanchard.

Quarante enfants dans une salle,
Un tableau noir et son triangle,
Un grand cercle hésitant et sourd
Son centre bat comme un tambour.

Des lettres sans mots ni patrie
Dans une attente endolorie.

Le parapet dur d'un trapèze,
Une voix s'élève et s'apaise,
Et le problème furieux
Se tortille et se mord la queue.

La mâchoire d'un angle s'ouvre.
Est-ce une chienne ? Est-ce une louve.

Et tous les chiffres de la terre,
Tous ces insectes qui défont
Et qui refont leur fourmilière
Sous les yeux fixes des garçons.

TIGES

à Francis de Miomandre.

Un peuplier sous les étoiles
Que peut-il ?
Et l'oiseau dans le peuplier
Rêvant, la tête dans l'exil
Tout proche et lointain de ses ailes,
Que peuvent-ils tous les deux
Dans leur alliance confuse
De feuillages et de plumes
Pour gauchir la destinée ?
Le silence les protège
Et le cercle de l'oubli,
Jusqu'au moment où se lèvent
Le soleil, les souvenirs.
Alors l'oiseau, de son bec
Coupe net le fil du songe,
Et l'arbre déroule l'ombre
Qui va le garder tout le jour.

HOULE

Vous auberges et routes, vous ciels en jachère,
Vous campagnes captives des mois de l'année,
Forêts angoissées qu'étouffe la mousse,
Vous m'éveillez la nuit pour m'interroger.
Voici un peuplier qui me touche du doigt,
Voici une cascade qui me chante à l'oreille,
Un affluent fiévreux s'élance dans mon cœur,
Une étoile soulève, abaisse mes paupières
Sachant me déceler parmi morts et vivants
Même si je me cache dans un herbeux sommeil
Sous le toit voyageur du rêve.
Depuis les soirs apeurés que traversait le bison
Jusqu'à ce matin de mai qui cherche encore sa joie
Et dans mes yeux mensongers n'est peut-être qu'une fable,
La terre est une quenouille que filent lune et soleil
Et je suis un paysage échappé de ses fuseaux,
Une vague de la mer naviguant depuis Homère
Recherchant un beau rivage pour que bruissent trois mille
　　ans.

La mémoire humaine roule sur le globe, l'enveloppe,
Lui faisant un ciel sensible innervé à l'infini,
Mais les bruits gisent fauchés dans les siècles révolus
L'histoire n'a pas encor pu faire entendre une voix.
Et voici seul sur la route planétaire notre cœur
Flambant comme du bois sec entre deux monts de silence
Qui sur lui s'écrouleront au vent mince de la mort.

HAUT CIEL

S'ouvre le ciel touffu du milieu de la nuit
Qui roule du silence,
Défendant aux étoiles de pousser un seul cri
Dans le vertige de leur éternelle naissance.

De soi-même prisonnières
Elles brûlent une lumière
Qui les attache, les délivre
Et les rattache sans merci.

Elles refoulent dans les siècles
L'impatience originelle
Qu'on reconnaît légèrement
A quelque petit cillement.

Le ciel de noires violettes
Répand une odeur d'infini,
Et va chercher dans leur poussière
Les soleils que la mort bannit.

Une ombre longue approche et hume
Les astres de son museau de brume.

On devine l'ahan des galériens du ciel,
Tapis parmi les rames d'un navire sans âge
Qui laisse en l'air un murmure de coquillage
Et navigue sans but dans la nuit éternelle,

Dans la nuit sans escales, sans rampes ni statues,
Sans la douceur de l'avenir
Qui nous frôle de ses plumes
Et nous défend de mourir.

SOUFFLE

Dans l'orbite de la Terre
Quand la planète n'est plus
Au loin qu'une faible sphère
Qu'entoure un rêve ténu,

Lorsque sont restés derrière
Quelques oiseaux étourdis
S'efforçant à tire-d'aile
De regagner leur logis,

Quand des cordes invisibles,
Sous des souvenirs de mains,
Tremblent dans l'éther sensible
De tout le sillage humain,

On voit les morts de l'espace
Se rassembler dans les airs
Pour commenter à voix basse
Le passage de la Terre.

Rien ne consent à mourir
De ce qui connut le vivre
Et le plus faible soupir
Rêve encore qu'il soupire.

Une herbe qui fut sur terre
S'obstine en vain à pousser
Et ne pouvant que mal faire
Pleure un restant de rosée.

Des images de rivières,
De torrents pleins de remords
Croient rouler une eau fidèle
Où se voient vivants les morts.

L'âme folle d'irréel
Joue avec l'aube et la brise
Pensant cueillir des cerises
Dans un mouvement du ciel.

PLANÈTE

Le soleil sur Vénus se lève ;
Sur la planète un petit bruit.
Est-ce une barque qui traverse
Sans rameur un lac endormi,
Est-ce un souvenir de la Terre
Venu gauchement jusqu'ici,
Une fleur tournant sur sa tige
Son visage vers la lumière
Parmi ces roseaux sans oiseaux
Piquant l'inhumaine atmosphère ?

LA TABLE

Des visages familiers
Brillent autour de la lampe du soleil.
Les rayons touchent les fronts
Et parfois changent de front
Oscillant de l'un à l'autre.

Des explosions d'irréel dans une fumée blanchissante
Mais nul bruit pour les oreilles :
Un fracas au fond de l'âme.

Des gestes autour de la table
Prennent le large, gagnent le haut-ciel,
Entre-choquent leurs silences
D'où tombent des flocons d'infini.

Et c'est à peine si l'on pense à la Terre
Comme à travers le brouillard d'une millénaire tendresse.

L'homme, la femme, les enfants,
A la table aérienne
Appuyée sur un miracle
Qui cherche à se définir.
Il est là une porte toute seule
Sans autre mur que le ciel insaisissable,

Il est là une fenêtre toute seule,
Elle a pour chambranle un souvenir
Et s'entr'ouvre
Pour pousser un léger soupir.

L'homme regarde par ici, malgré l'énorme distance,
Comme si j'étais son miroir,
Pour une confrontation de rides et de gêne,
La chair autour des os, les os autour de la pensée
Et au fond de la pensée une mouche charbonneuse.
Il s'inquiète
Comme un poisson qui saute
A la recherche d'un élément
Entre la vase, l'eau et le ciel.

Le ciel est effrayant de transparence,
Le regard va si loin qu'il ne peut plus vous revenir.
Il faut bien le voir naufrager
Sans pouvoir lui porter secours.

Tout à coup le soleil s'éloigne jusqu'à n'être plus qu'une
    étoile perdue
Et cille.

Il fait nuit, je me retrouve sur la Terre cultivée.
Celle qui donne le maïs et les troupeaux,
Les forêts belles au cœur,
Celle qui ronge nuit et jour nos gouvernails d'élévation.

Je reconnais les visages des miens autour de la lampe,
Rassurés comme s'ils avaient
Échappé à l'horreur du ciel.

Et le lièvre qui veille en nous se réjouit dans son gîte ;
Il hume son poil doré
Et l'odeur de son odeur, son cœur qui sent le cerfeuil.

VIVRE

Pour avoir mis le pied
Sur le cœur de la nuit
Je suis un homme pris
Dans les rets étoilés.

J'ignore le repos
Que connaissent les hommes
Et même mon sommeil
Est dévoré de ciel.

Nudité de mes jours,
On t'a crucifiée ;
Oiseaux de la forêt
Dans l'air tiède, glacés.

Ah ! vous tombez des arbres.

RÉVEIL

Le monde me quitte, ce tapis, ce livre,
Vous vous en allez ;
Le balcon devient un nuage libre
Entre les volets.

Ah ! chacun pour soi les quatre murs partent
Me tournant le dos
Et comme une barque au loin les commandent
D'invisibles flots.

Le plafond se plaint de son cœur de mouette
Qui se serre en lui,
Le parquet mirant une horreur secrète
A poussé un cri,
Comme si tombait un homme à la mer
D'un mât invisible
Et couronné d'air.

LES YEUX DE LA MORTE

Cette morte que je sais
Et qui s'est tant méconnue
Garde encor au fond du ciel
Un regard qui l'exténue,

Une rose de drap, sourde
Sur une tige de fer,
Et des perles dont toujours
Une regagne les mers.

De l'autre côté d'Altaïr
Elle lisse ses cheveux
Et ne sait pas si ses yeux
Vont se fermer ou s'ouvrir.

POINTE DE FLAMME

Tout le long de sa vie
Il avait aimé à lire
Avec une bougie
Et souvent il passait
La main dessus la flamme
Pour se persuader
Qu'il vivait,
Qu'il vivait.

Depuis le jour de sa mort
Il tient à côté de lui
Une bougie allumée
Mais garde les mains cachées.

LA BELLE MORTE

Ton rire entourait le col des collines
    On le cherchait dans la vallée.

Maintenant quand je dis : donne-moi la main,
Je sais que je me trompe et que tu n'es plus rien.

Avec ce souffle de douceur
Que je garde encor de la morte,
Puis-je refaire les cheveux,
Le front que ma mémoire emporte ?

Avec mes jours et mes années,
Ce cœur vivant qui fut le sien,
Avec le toucher de mes mains,
Circonvenir la destinée ?

Comment t'aider, morte évasive,
Dans une tâche sans espoir,
T'offrir à ton ancien regard
Et reconstruire ton sourire,

Et rapprocher un peu de toi
Cette houle sur les platanes
Que ton beau néant me réclame
Du fond de sa plaintive voix.

Tes cheveux et tes lèvres
Et ta carnation
Sont devenus de l'air
Qui cherche une saison.

Et moi qui vis encore
Seul autour de mes os
Je cherche un point sonore
Dans ton silence clos

Pour m'aprocher de toi
Que je veux situer
Sans savoir où tu es
Ni si tu m'aperçois.

LA REVENANTE

Les corbeaux lacéraient de leur bec les nuages
Emportant des lambeaux,
Coulant à pic vos angéliques équipages,
Versatiles vaisseaux.

Les cerfs à voix humaine emplissaient la montagne
Avec de tels accents
Que l'on vit des sapins s'emplir de roses blanches
Et tomber sur le flanc.

Jurez, jurez-le moi, morte encore affairée
Par tant de souvenirs,
Que ce n'était pas vous qui guettiez à l'orée
De votre ancienne vie,

Et que la déchirure allant d'un bout à l'autre
De la nuit malaisée
N'était votre œuvre, ô vous épiant jusqu'à l'aube
L'âme dans la rosée.

CERCLE

à Franz Hellens.

Ce bras de femme étendu
Dans un ciel voluptueux
Est-il sorti de la nue
Ou de l'abîme amoureux ?
Les siècles de loin l'appellent
Vers leur fuyante nacelle
Et les couchants qui s'étirent
Dans des paresses de tigre.
Ce bras jeune comme au jour
De ses noces pécheresses,
Au milieu de son amour
Qui le surveille et le presse,
Survola les anciens âges,
Les océans, les forêts
Et les célestes mirages
Que coupe un astre expiré,
Dans une attente si stable
De plaisir, de cruauté,
Qu'on le devine l'esclave
D'une lente éternité.

VŒU

Mon peu de terre avec mon peu de jour
Et ce nuage où mon esprit embarque,
Tout ce qui fait l'âme glissante et lourde,
Saurai-je moi, saurai-je m'en déprendre ?

Il faudra bien pourtant qu'on m'empaquette
Et me laisser ravir sans lâcheté,
Colis moins fait pour vous, Éternité,
Qu'un frais panier tremblant de violettes.

400   ATMOSPHÈRES

à R. Güiraldes.

Quand le groseillier qui pousse au fond des mers
Loin de tous les yeux regarde mûrir ses groseilles
Et les compare dans son cœur,
Quand l'eucalyptus des abîmes
A cinq mille mètres liquides médite un parfum sans espoir,
Des laboureurs phosphorescents glissent vers les moissons
     aquatiques,
D'autres cherchent le bonheur avec leurs paumes mouillées
Et la couleur de leurs enfants encore opaques
Qui grandissent sans se découvrir
Entre les algues et les perles.
L'amour s'élance à travers les masses salines tombantes
Et la joie est évasive comme la mélancolie.
L'on pénètre comme à l'église sous les cascades de ténèbres
Qui ne font écume ni bruit.
Parfois on devine que passe un nuage venu du ciel libre
Et le dirige, rênes en main, une grave enfant de la côte.
Alors s'allument un à un les phares des profondeurs
Qui sont violemment plus noirs que la noirceur
Et tournent.

HAUTE MER

à Maurice Guillaume.

Parmi les oiseaux et les lunes
Qui hantent le dessous des mers
Et qu'on devine à la surface
Aux folles phases de l'écume,

Parmi l'aveugle témoignage
Et les sillages sous-marins
De mille poissons sans visage
Qui cachent en eux leur chemin,

Le noyé cherche la chanson
Où s'était formé son jeune âge,
Écoute en vain les coquillages
Et les fait choir au sombre fond.

DÉPART

Un paquebot dans sa chaudière
Brûle les chaînes de la terre.

Mille émigrants sur les trois ponts
N'ont qu'un petit accordéon.

On hisse l'ancre, dans ses bras
Une sirène se débat

Et plonge en mer si offensée
Qu'elle ne se voit pas blessée.

Grandit la voix de l'Océan
Qui rend les désirs transparents.

Les mouettes font diligence
Pour qu'on avance, qu'on avance.

Le large monte à bord, pareil
A un aveugle aux yeux de sel.

Dans l'espace avide, il s'élève
Lentement au mât de misaine.

PONT SUPÉRIEUR

Plante verte sur le pont,
Plante qui changes d'étoiles
Et vas d'escale en escale,
Goûtant à chaque horizon,

Plante, branches et ramilles,
L'hélice te fait trembler
Et ma main qui te dessine
Tremble d'être sur la mer.

Mais je découvre la terre
Prise dans ton pot carré
Celle-là que je cherchais
Dans le fond de ma jumelle.

SOUS LE LARGE

Les poissons des profondeurs
Qui n'ont d'yeux ni de paupières
Inventèrent la lumière
Pour les besoins de leur cœur.

Ils en mandent une bulle,
Loin des jours et des années,
Vers la surface où circule
L'océane destinée.

Un navire coule à pic,
Houle dans les cheminées,
Et la coque déchirée
Laisse la chaudière à vif.

Dans le fond d'une cabine
Une lanterne enfumée
Frappe le hublot fermé
Sur les poissons de la nuit.

POÈMES DE GUANAMIRU

A LAUTRÉAMONT

*N'importe où je me mettais à creuser le sol espérant que
tu en sortirais,*
J'écartais les maisons et les forêts pour voir derrière,
*J'étais capable de rester toute une nuit à t'attendre, portes
et fenêtres ouvertes*
*En face de deux verres d'alcool auxquels je ne voulais pas
toucher.*
Mais tu ne venais pas
Lautréamont.
*Autour de moi des vaches mouraient de faim devant des
précipices*
*Et tournaient obstinément le dos aux plus herbeuses
prairies,*
*Les agneaux regagnaient en silence le ventre de leurs
mères qui en mouraient,*
*Les chiens désertaient l'Amérique en regardant derrière
eux*
Parce qu'ils auraient voulu parler avant de partir.
Resté seul sur le continent,
*Je te cherchais dans le sommeil où les rencontres sont plus
faciles.*

On se poste au coin d'une rue, l'autre arrive rapidement.
Mais tu ne venais même pas,
Lautréamont,
Derrière mes yeux fermés.
Je te rencontrais un jour à la hauteur de Fernando Noronha
Tu avais la forme d'une vague mais en plus véridique, en
*   plus circonspect,*
Tu filais vers l'Uruguay à petites journées.
Les autres vagues s'écartaient pour mieux saluer tes
*   malheurs.*
Elles qui ne vivent que douze secondes et ne marchent
*   qu'à la mort*
Te les donnaient en entier,
Et tu feignais de disparaître comme elles,
Pour qu'elles te crussent dans la mort leur camarade de
*   promotion.*
Tu étais de ceux qui élisent l'océan pour domicile comme
*   d'autres couchent sous les ponts*
Et moi je me cachais les yeux derrière des lunettes noires
Sur un paquebot où flottait une odeur de femme et de
*   cuisine.*
La musique montait aux mâts furieux d'être mêlés aux
*   attouchements du tango,*
J'avais honte de mon cœur où coulait le sang des vivants,
Alors que tu es mort depuis 1870, et sans une goutte de
*   sang*
Tu prends la forme d'une vague pour faire croire que ça
`   t'est égal.

Le jour même de ma mort je te vois venir à moi
Avec ton visage d'homme.
Tu déambules favorablement les pieds nus dans de hautes
*   mottes de ciel,*
Mais à peine arrivé à une distance convenable
Tu m'en lances une au visage,
Lautréamont.

AU FEU !

à Henry Michaux.

J'enfonce les bras levés vers le centre de la Terre
Mais je respire, j'ai toujours un sac de ciel sur la tête
Même au fort des souterrains
Qui ne savent rien du jour.
Je m'écorche à des couches d'ossements
Qui voudraient me tatouer les jambes pour me reconnaître
    un jour.
J'insulte un squelette d'iguanodon, en travers de mon
    passage,
Mes paroles font grenaille sur la canaille de ses os,
Et je cherche à lui tirer ses oreilles introuvables
Pour qu'il ne me barre plus la route,
Mille siècles après sa mort,
Avec le vaisseau de son squelette qui fait nuit de toutes
    parts.
Ma colère prend sur moi une avance circulaire,
Elle déblaie le terrain, canonne les profondeurs.
Je hume des formes humaines à de petites distances
Courtes, courtes.
J'y suis.
Voici les hautes statues de marbre qui lèvent l'index avant
    de mourir.
Un grand vent gauche, essoufflé, tourne sans trouver une
    issue.

Que fait-il au fond de la Terre? Est-ce le vent des
   suicidés ?
Quel est mon chemin parmi ces milliers de chemins qui
   se disputent à mes pieds
Un honneur que je devine ?
Peut-on demander sa route à des hommes considérés
   comme morts
Et parlant avec un accent qui ressemble à celui du silence.
Centre de la Terre ! je suis un homme vivant.
Ces empereurs, ces rois, ces premiers ministres, entendez-
   les qui me font leurs offres de service,
Parce que je trafique à la surface avec les étoiles et la
   lumière du jour.
J'ai le beau rôle avec les morts, les mortes et les mortillons.
Je leur dis : « Voyez-moi ce cœur,
Comme il bat dans ma poitrine et m'inonde de chaleur !
Il me fait un toit de chaume où grésille le soleil.
Approchez-vous pour l'entendre, vous en avez eu un pareil.
N'ayez pas peur, nous sommes ici dans l'intimité
   infernale ».

Autour de moi, certains se poussent du coude,
Prétendent que j'ai l'éternité devant moi,
Que je puis bien rester une petite minute,
Que je ne serais pas là si je n'étais mort moi-même.
Pour toute réponse je repars
Puisqu'on m'attend toujours merveilleusement à l'autre
   bout du monde.
Mon cœur bourdonne, c'est une montre dont les aiguilles
   se hâtent comme les électrons
Et seul peut l'arrêter le regard de Dieu quand il pénètre
   dans le mécanisme.

Air pur, air des oiseaux, air bleu de la surface,
Je remonte vers toi !
Voici Jésus qui s'avance pour maçonner la voûte du ciel.
La Terre en passant frôle ses pieds avec les forêts les plus
   douces.
Depuis deux mille ans il l'a quittée pour visiter d'autres
   sphères,

Chaque Terre s'imagine être son unique maîtresse
Et lui prépare des guirlandes nuptiales de martyrs.
Jésus réveille en passant des astres morts qu'il secoue,
Comme des soldats profondément endormis.
Et les astres de tourner religieusement dans le ciel
En suppliant le Christ de tourner avec eux.
Mais lui repart, les pieds nus sur une aérienne Judée,
Et nombreux restent les astres prosternés
Dans la sidérale poussière.
Jésus, pourquoi te montrer si je ne crois pas encore ?
Mon regard serait-il en avance sur mon âme ?

Je ne suis pas homme à faire toujours les demandes et les
   réponses !
Holà muchachos ! J'entends crier des vivants dans des
   arbres chevelus,
Ces vivants sont mes enfants, échappés, radieux, de ma
   moëlle !
Un cheval m'attend attaché à un eucalyptus des pampas,
Il est temps que je rattrape son hennissement dans l'air
   dur,
Dans l'air qui a ses rochers, mais je suis seul à les voir !

LE FORÇAT INNOCENT

(1930)

à Jean Paulhan.

LE FORÇAT

Je ne vois plus le jour
Qu'au travers de ma nuit,
C'est un petit bruit sourd
Dans un autre pays.
C'est petit bossu
Allant sur une route,
On ne sait où il va
Avec ses jambes nues.
Ne l'interroge pas,
Il ignore ta langue
Et puis il est très loin,
On n'entend plus ses pas.

Parfois, quand je m'endors,
La pointe d'un épi
Déserte mon enfance
Pour me trouver ici.
Épi grave et pointu,
Épi que me veux-tu ?
Je suis un prisonnier
Qui ne sais rien des champs,
Mes mains ne sont plus miennes,
Mon front n'est plus à moi,
Ni mon chien qui savait

Quand j'étais en retard.
Puisqu'au ciel grillagé
L'étoile des prisons
Vient briser ses rayons
Sans pouvoir me toucher,
Avec un brin de paille,
Un luisant bout de bois
Et le cil d'une femme
Approchons d'autrefois.
Ah ! tout est de secours
Pour consoler un fou...
Mais vous vous en allez
Sans atteindre mon cœur,
Souvenirs sans chaleur,
Mes mains sont surveillées.

Vous dont les yeux sont restés libres,
Vous que le jour délivre de la nuit,
Vous qui n'avez qu'à m'écouter pour me répondre
Donnez-moi des nouvelles du monde.
Et les arbres ont-ils toujours
Ce grand besoin de feuilles, de ramilles,
Et tant de silence aux racines ?
Donnez-moi des nouvelles des rivières,
J'en ai connu de bien jolies,
Ont-elles encor cette façon si personnelle
De descendre dans la vallée,
De retenir l'image de leur voyage,
Sans consentir à s'arrêter.
Donnez-moi des nouvelles des mouettes
De celle-là surtout que je pensai tuer un jour.
Comme elle eut une étrange façon,
Le coup tiré, une bien étrange façon
De repartir !
Donnez-moi des nouvelles des lampes
Et des tables qui les soutiennent
Et de vous aussi tout autour,
Porte-mains et porte-visages.
Les hommes ont-ils encore
Ces yeux brillants qui vous ignorent,

La colère dans leurs sourcils,
Le cœur au milieu des périls ?
Mais vous êtes là sans mot dire.
Me croyez-vous aveugle ou sourd.

Et voici la muraille, elle use le désir,
On ne sait où la prendre, elle est sans souvenirs,
Elle regarde ailleurs, et, lisse, sans pensées,
C'est un front sans visage, à l'écart des années.
Prisonniers de nos bras, de nos tristes genoux,
Et, le regard tondu, nous sommes devant nous
Comme l'eau d'un bidon qui coule dans le sable
Et qui dans un instant ne sera plus que sable.
Déjà nous ne pouvons regarder ni songer,
Tant notre âme est d'un poids qui nous est étranger.
Nos cœurs toujours visés par une carabine
Ne sauraient plus sans elle habiter nos poitrines.
Il leur faut ce trou noir, précis de plus en plus,
C'est l'œil d'un domestique attentif, aux pieds nus.
Œil plein de prévenance et profond, sans paupière,
A l'aise dans le noir et l'excès de lumière.
Si nous dormons il sait nous voir de part en part,
Vendange notre rêve, avant nous veut sa part.
Nous ne saurions lever le regard de la terre
Sans que l'arme de bronze arrive la première,
Notre sang a besoin de son consentement,
Ne peut faire sans elle un petit mouvement,
Elle est un nez qui flaire et nous suit à la piste
Une bouche aspirant l'espoir dès qu'il existe,
C'est le meilleur de nous, ce qui nous a quittés,
La force des beaux jours et notre liberté.

Pierre, pierre sous ma main
Dans ta vigueur coutumière,
Pleine de mille lumières
Sous un opaque maintien,
Bouge enfin, je te regarde,
Et même si longuement
Que j'en suis sans mouvement,
Montre ce que tu sais faire,

Montre que tu peux me voir,
Tu me caches ton pouvoir,
Faux petit os de la terre,
Ne te souviens-tu de rien,
Au fond de toi cherche bien :
Tu pleurais dans les ténèbres.

Pierre, obscure compagnie,
Sois bonne enfin, sois docile,
Ce n'est pas si difficile
De devenir mon amie.
Quand je sens que tu m'écoutes
C'est toi qui me donnes tout.
Tu es distraite, tu pèses,
Tu me remplis la main d'aise
Et d'une douceur sans bruit.
Le jour, tu es toute chaude,
Toute sereine la nuit,
Autour de toi mon cœur rôde,
Le tien qui s'est arrêté
Me ravit de tous côtés.

CŒUR

à P.

Il ne sait pas mon nom
Ce cœur dont je suis l'hôte,
Il ne sait rien de moi
Que des régions sauvages.
Hauts plateaux faits de sang,
Épaisseurs interdites,
Comment vous conquérir
Sans vous donner la mort,
Comment vous remonter,
Rivières de ma nuit
Retournant à vos sources,
Rivières sans poissons
Mais brûlantes et douces.
Je tourne autour de vous
Et ne puis aborder,
Bruits de plages lointaines,
O courants de ma terre
Vous me chassez au large
Et pourtant je suis vous.
Et je suis vous aussi
Mes violents rivages,
Écumes de ma vie.

Beau visage de femme,
Corps entouré d'espace,
Comment avez-vous fait,
Allant de place en place,
Pour entrer dans cette île
Où je n'ai pas d'accès
Et qui m'est chaque jour
Plus sourde et insolite,
Pour y poser le pied
Comme en votre demeure,
Pour avancer la main
Comprenant que c'est l'heure
De prendre un livre ou bien
De fermer la croisée.
Vous allez, vous venez,
Vous prenez votre temps
Comme si vous suivaient
Seuls les yeux d'un enfant.

Sous la voûte charnelle
Mon cœur qui se croit seul
S'agite prisonnier
Pour sortir de sa cage.
Si je pouvais un jour
Lui dire sans langage
Que je forme le cercle
Tout autour de sa vie !
Par mes yeux bien ouverts
Faire descendre en lui
La surface du monde
Et tout ce qui dépasse,
Les vagues et les cieux,
Les têtes et les yeux !
Ne saurais-je du moins
L'éclairer à demi
D'une mince bougie
Et lui montrer dans l'ombre
Celle qui vit en lui
Comme au fond des forêts,
Sans s'égarer jamais.

Montagnes et rochers, monuments du délire,
Nul homme ne nous voit, écoutez sans détours
Mon cœur grondant au fond des gorges et des jours.
Et comprenez mes yeux gelés de rêverie.

Mêlons-nous sous le ciel qui n'a pas de sursauts,
Que je devienne un peu de pierraille ou de roche
Pour t'apaiser, cœur immortel, qui me reproches
D'être homme, courtisan d'invisibles corbeaux.

Solitude au grand cœur encombré par les glaces,
Comment me pourrais-tu donner cette chaleur
Qui te manque et dont le regret nous embarrasse
Et vient nous faire peur ?

Va-t'en, nous ne saurions rien faire l'un de l'autre,
Nous pourrions tout au plus échanger nos glaçons
Et rester un moment à les regarder fondre
Sous la sombre chaleur qui consume nos fronts.

SAISIR

SAISIR

Saisir, saisir le soir, la pomme et la statue,
Saisir l'ombre et le mur et le bout de la rue.

Saisir le pied, le cou de la femme couchée
Et puis ouvrir les mains. Combien d'oiseaux lâchés

Combien d'oiseaux perdus qui deviennent la rue,
L'ombre, le mur, le soir, la pomme et la statue !

Grands yeux dans ce visage,
Qui vous a placés là ?

De quel vaisseau sans mâts
Etes-vous l'équipage,

Depuis quel abordage
Attendez-vous ainsi
Ouverts toute la nuit ?

Feux noirs d'un bastingage
Étonnés mais soumis
A la loi des orages,

Prisonniers des mirages,
Quand sonnera minuit

Baissez un peu les cils
Pour reprendre courage.

Vous avanciez vers lui, femme des grandes plaines,
Nœud sombre du désir, distances au soleil.

Et vos lèvres soudain furent prises de givre
Quand son visage lent s'est approché de vous.

Vous parliez, vous parliez, des mots blafards et nus
S'en venaient jusqu'à lui, mille mots de statue.

Vous fîtes de cet homme une maison de pierre,
Une lisse façade aveugle nuit et jour.

Ne peut-il dans ses murs creuser une fenêtre,
Une porte laissant faire six pas dehors?

Saisir quand tout me quitte,
Et avec quelles mains
Saisir cette pensée,
Et avec quelles mains
Saisir enfin le jour
Par la peau de son cou,
Le tenir remuant
Comme un lièvre vivant?
Viens, sommeil, aide-moi,
Tu saisiras pour moi
Ce que je n'ai pu prendre,
Sommeil aux mains plus grandes.

Un visage à mon oreille,
Un visage de miroir,
Vient s'appuyer dans le noir :
« Beau visage, reste, veille,
Reste et ne t'alarme pas.
C'est un homme et son sommeil
Qui sont là proches de toi.
Fais qu'ils pénètrent tous deux
Dans le bois de mille lieues
Aux feuilles toutes baissées
Comme paupières fermées,
Territoire où les oiseaux
Chantent sous leurs ailes closes
Et se réveillent à l'aube
Pour se taire et regarder
— Dors, j'écoute et je regarde
Si la Terre est toujours là,
Si les arbres sont les arbres,
Si les routes obéissent,
Et si l'étoile novice
Que tu découvris hier
Brille encor dans le ciel lisse
Et s'approche de notre air.
Dors, tandis que les maisons
Dans leur force et leurs étages
Lasses de passer les âges
Disparaissent un instant.
— Est-ce bien toi que j'entends
A travers ce grand sommeil,
Chaîne blanche de montagnes
Qui me sépare de toi ?
Suis-je sur la vieille Terre
Où les distances ressemblent
A ces lignes de nos mains ?
Nul ne sait qui les assemble.
— Sur chaque herbe et chaque tige
Sur les plus fuyants poissons

Je veille et te les préserve,
Je les sauve pour demain.
Et tu trouveras aussi
Pour te déceler le monde
Les insectes, la couleur
Des yeux et le son des heures.
Vienne le sommeil te prendre,
Déjà ton lit se souvient
D'avoir été un berceau.
Que tes mains s'ouvrent et laissent
S'échapper force et faiblesses,
Que ton cœur et ton cerveau
Tirent enfin leurs rideaux,
Que ton sang s'apaise aussi
Pour favoriser la nuit ».

Je cherche autour de moi plus d'ombre et de douceur
Qu'il n'en faut pour noyer un homme au fond d'un puits.
Encore un peu de noir, d'étoiles, de fraîcheur,
Versez, mains, et vous, cils, votre restant de nuit.

Il est place pour vous
Dans ces rumeurs obscures
Encerclant à la fois
Le vivre et le mourir.

Il est place pour vous,
Approchez, tendre amie, aux lèvres étonnées,
Gardiennes du plaisir
Qui tourne loin de nous.

Je nage sous la vague, abri de mon amour,
Les algues ont l'odeur et le goût de la lune.
Poissons des jours heureux, avez-vous vu son corps
Dont brille le contour qui fait si belle écume ?

Goëlands du sommeil, on vient vous réveiller,
Tournez là-haut, veillez, plumes, cœurs éperdus
Au secours, flots vivants, profondes étincelles,
Dirigez le plongeur qui ne respire plus !

Écoutez : c'est mon nom que j'entends, qu'elle crie.
Je ne suis que silence et je baisse les yeux.
Seigneurs de l'altitude et des ravins poudreux,
Vous qui me regardez, vous qui me connaissez,
Ai-je perdu la vie ?

Est-ce encor moi malgré
Son visage en allé
Et ses jambes qui fuient
Dans la soie de la nuit,
Et mon cœur sans raison
Près des volets fermés,
Et ce grand mouvement
Au fond de la maison,
Et ce qu'elle m'a pris
Dans ses sombres bagages,

Ce qu'elle a négligé.

LA MALADE

Sur un lit si lointain qu'il en devient tout sombre,
Que je vous touche enfin avec les mains du songe !

La fièvre entre chez vous, dérange vos papiers,
Elle ouvre des tiroirs, rougit de vos secrets,
Vous percevez des pas, une hâte sans fin
Dans votre corps sans jour comme un long souterrain.

Et votre bras rameur, sous le vent des ténèbres,
Pend et cherche la mer.
Il frôle le parquet, la vague se refuse,
Il cherche alors l'écume et croit la caresser.

Autour de votre lit, sur des barreaux légers,
Les oiseaux de l'amour meurent sans se dédire.
On les emporte sans mot dire
Vers de basculants escaliers.

LE CŒUR ET LE TOURMENT

Il tremble de savoir si c'est d'elle ou de vous
Ce cœur qui prend la fuite et ne veut pas répondre
Ne l'interrogez pas, négligez-le dans l'ombre,
Feignez de ne pas voir ses confuses amours.

Affairé sous des yeux dont change la couleur
Il bat en étourdi dans sa maison charnelle
Dont les volets sont clos la nuit comme le jour,
Et croit que ciel et mer sont étoiles jumelles.

Devant lui pensez bas, il entend les désirs,
Les secrets se former et l'amour se parfaire,
Mais prenez garde, il ne sait rien de sa misère,
Ayant même oublié ce qu'on nomme mourir.

Qu'elle ouvre la fenêtre ou qu'elle avance un pied,
La maison sous le jour le sait et le murmure
Et mes frères les murs, pris dans leur âme dure
Comprennent comme moi qu'une femme a bougé.

Quand elle dort, le ciel aux changeantes figures
Retient de son sommeil les secrets mouvements.
Etre homme ou minéral, d'air pur ou de tourment,
C'est attendre quelqu'un qui tarde à s'éveiller.

Vous donnez à mon ciel une aimante couleur
Et me renouvelez mes bois et mes rivières.
Est-ce un bouleau là-bas, un chêne, un peuplier ?
Ah ! je ne réponds plus des arbres de la Terre !

Je ne veux rien savoir, sachant que je vous vois,
Que c'est bien vous, contour de femme et de surprise,
Votre visage vrai, vos yeux de bon aloi,
Vous, prête à vous enfuir et pourtant si précise.

Approchez-vous, baissez les yeux sur mon amour,
Que je cherche en vos mains une chère figure
Pour vivre et m'en aller encor le long des jours
Périssables avec une douceur qui dure.

Ces veines, bleus ruisseaux ne faisant pas de bruit,
Je les veux suivre au bout de leur grande aventure
Qui va du poignet mince au fond des doigts subtils,
Toujours sous le regard perdu de la nature.

Après avoir erré dans d'étranges pays,
Je fermerai la porte aux formes de la Terre
Et, tenant dans mes mains vos paumes prisonnières,
Je referai le monde et les nuages gris
Et les oiseaux qui vont se poser sur la mer.

Quand la voix du retour murmure : par ici,
Voici ta chaise obscure et voici ta fenêtre,
Voici ton lit qui sait le secret de ton être,
Il faut les reconnaître après ces jours d'oubli.
Ferme les belles mains et les yeux du voyage,
Ecoute les raisons de tes murs restés sages,
C'est par ici, te dis-je, par ici,
Quelqu'un t'a pris la main qui t'attendait aussi
Pour écarter ce long sillage de ton cœur
Qui ne pouvait pas croire à la fin du voyage.

DISPERSÉ

Mais que devient-elle,
Où donc êtes-vous,
Que devient le ciel
Qui nous vit un jour ?

Que devient la joue
De cette enfant rouge
Que nous dépassâmes
En nous retournant ?

Et votre belle main,
Refuge de vous-même,
Que la cachez-vous
Sous un souvenir
Qui n'est pas de nous ?

Ces jours qui sont à nous si nous les déplions
Pour entendre leur chuchotante rêverie,
Ah c'est à peine si nous les reconnaissons.
Quelqu'un nous a changé toute la broderie.

Porte, porte, que veux-tu ?
Est-ce une petite morte
Qui se cache là derrière ?
Non, vivante, elle est vivante
Et voilà qu'elle sourit
De manière rassurante.
Un visage entre deux portes,
Un visage entre deux rues,
Plus qu'il n'en faut pour un homme
Fuyant son propre inconnu.

movement in space // Chagall

Décor

graves

chair

métamorphose

Before Rilke died he read & trans. Supero. I wrote 1 this his last ... ?

OLORON-SAINTE-MARIE

A la mémoire de
Rainer Maria Rilke.

OLORON-SAINTE-MARIE

Confrontation of pères —

Comme du temps de mes pères, les Pyrénées écoutent aux
    portes
Et je me sens surveillé par leurs rugueuses cohortes.
Le gave coule, paupières basses, ne voulant pas de
    différence
Entre les hommes et les ombres,
Et il passe entre des pierres
Qui ne craignent pas les siècles
Mais s'appuient dessus pour rêver.
C'est la ville de mon père, j'ai affaire un peu partout,
Je rôde dans les rues et monte des étages n'importe où.
Ces étages font de moi comme un sentier de montagne;
J'entre sans frapper dans des chambres que traverse la
    campagne;
Les miroirs refont les bois, portent secours aux ruisseaux,
Je me découvre dedans pris et repris par leurs eaux,
J'erre sur les toits d'ardoise, je vais en haut de la tour,
Et pour rassembler les morts qu'une rumeur effarouche,

reflects movement & face of poet

purple face

goal — contraste avec montagne

freed — like snake of its skin

time, landscape, self

LE FORÇAT INNOCENT

Je suis le battant humain,
Que ne révèle aucun bruit,
De la cloche de la nuit
Dans le ciel pyrénéen.

O morts à la démarche dérobée,
Que nous confondons toujours avec l'immobilité,
Perdus dans votre sourire comme sous la pluie l'épitaphe,
Morts aux postures contraintes et gênés par trop d'espace,
O vous qui venez rôder autour de nos positions,
C'est nous qui sommes les boiteux tout prêts à tomber sur
   le front.

Vous êtes guéris du sang
De ce sang qui nous assoiffe,
Vous êtes guéris de voir
La mer, le ciel et les bois.

Vous en avez fini avec les lèvres, leurs raisons et leurs
   baisers.
Avec nos mains qui nous suivent partout sans nous apaiser,
Avec les cheveux qui poussent et les ongles qui se cassent.
Et, derrière le front dur, notre esprit qui se déplace.

Mais en nous rien n'est plus vrai
Que ce froid qui vous ressemble,
Nous ne sommes séparés
Que par le frisson d'un tremble.

Ne me tournez pas le dos. Devinez-vous
Un vivant de votre race près de vos anciens genoux?

Amis, ne craignez pas tant
Qu'on vous tire par un pan de votre costume flottant!

N'avez-vous pas un peu envie,
Chers écoliers de la mort, qu'on vous décline la vie?

Nous vous dirons de nouveau
Comment l'ombre et le soleil,
Dans un instant qui sommeille,
Font et défont un bouleau.

Et nous vous reconstruirons
Chaque ville avec les arches respirantes de ses ponts,
La campagne avec le vent,
Et le soleil au milieu de ses frères se levant.

Etes-vous sûrs, êtes-vous sûrs de n'avoir rien à ajouter,
Que c'est toujours de ce côté le même jour, le même été ?

Ah comment apaiser mes os dans leur misère,
Troupe blafarde, aveugle, au visage calcaire,
Qui réclame la mort de son chef aux yeux bleus
Tournés vers le dehors ?

Je les entends qui m'emplissent de leur voix sourde,
Plantés dans ma chair, ces os,
Comme de secrets couteaux
Qui n'ont jamais vu le jour :

« N'échappe pas ainsi à notre entendement,
Ton silence nous ment.

Nous ne faisons qu'un avec toi,
Ne nous oublie pas.

Nous avons partie liée,
Tels l'époux et l'épousée,
Quand il souffle la bougie
Pour la longueur de la nuit.

— Petits os, grands os, cartilages,
Il est de plus cruelles cages.
Patientez, violents éclairs,
Dans l'orage clos de ma chair.

Thorax, sans arrière-pensée
Laisse entrer l'air de la croisée ;
Comprendras-tu que le soleil
Va jusqu'à toi du fond du ciel ?

Ecoutez, obscurs humérus,
Les ténèbres de chair sont douces.
Il ne faut pas songer encor
A la flûte lisse des morts.

Et toi, rosaire d'os, colonne vertébrale,
Que nulle main n'égrènera, —
Retarde notre heure ennemie,
Prions pour le ruisseau de vie
Qui se presse vers nos prunelles ».

[handwritten annotations:]

circle of the straight
feuillit? or régidety
unity—

dégarnir de ses grains — tell
bead

opp of froid

Thrust to go beyond
the confines of the spaces—
setting, grave, chair ils'appuie

State of suspension — reinforced by

roder —

apaiser

Senses — complict/one
ness of mind + body

rigidity & fluidity

WHISPER IN AGONY

Ne vous étonnez pas,
Abaissez les paupières
Jusqu'à ce qu'elles soient
De véritable pierre.

Laissez faire le cœur,
Et même s'il s'arrête.
Il bat pour lui tout seul
Sur sa pente secrète.

Les mains s'allongeront
Dans leur barque de glace,
Et le front sera nu
Comme une grande place
Vide, entre deux armées.

Vivante ou morte, ô toi qui me connais si bien,
Laisse-moi t'approcher à la façon des hommes.

Il fait nuit dans la pièce où tremble un oreiller
Comme un voilier qui sent venir la haute mer,
Et je ne comprends pas si je suis l'équipage
Ou l'adieu d'un bras nu resté sur le rivage.

Ah que j'arrête un jour ta chair à la dérive,
Toi qui vas éludant mon désir et le tien,
Au large de mes mains, qu'escortent des abîmes,
Quand mes pieds pour appui n'auront qu'un frêle bruit,

Un bruit de petit jour étouffé de ténèbres
Mais capable pourtant de toucher ta fenêtre
Et de la faire ouvrir.

SUPPLIQUE

O morts, n'avez-vous pas encore appris à mourir
Quand il suffit de fermer les yeux une fois pour toutes,
Jusqu'à ce que disparaisse ce picotement des paupières
Et cette jalousie ?
Laissez reprendre à l'amour le cours de sa rêverie
Et que nos jours revendiquent la verdeur de la prairie.
Ne posez pas ainsi vos doigts sur le cœur des hommes
    vivants
Pour causer nos intermittences
Et les commenter tout le long
De votre langage sans mots.

N'approchez pas de nous la nuit
Pour nous verser la maladie,

Ne vous mélangez pas à nos pensées
Comme le sang frais aux bêtes blessées.

N'arrêtez pas notre main, elle n'est pas à vous.
Ne regardez pas ainsi nos attaches, nos genoux,

Laissez le fruit mûrir au fond de son loisir
Et sans que le pourrisse un brusque repentir.

Ce cheval qui trotte, ce chien, ce corbeau,
Laissez-les, c'est leur tour, allonger le dos.

Que l'on regarde la vie se fier à ses remous
Dès le premier pigeon du jour jusqu'à la nuit noire de
*   loups !*

LA CHAMBRE VOISINE

Tournez le dos à cet homme
Mais restez auprès de lui,
(Écartez votre regard,
Sa confuse barbarie),
Restez debout sans mot dire,
Voyez-vous pas qu'il sépare
Mal le jour d'avec la nuit,
Et les cieux les plus profonds
Du cœur sans fond qui l'agite?
Éteignez tous ces flambeaux
Regardez : ses veines luisent.
Quand il avance la main,
Un souffle de pierreries,
De la circulaire nuit
Jusqu'à ses longs doigts parvient.
Laissez-le seul sur son lit,
Le temps le borde et le veille,
En vue de ces hauts rochers
Où gémit, toujours caché,
Le cœur des nuits sans sommeil.
Qu'on n'entre plus dans la chambre
D'où doit sortir un grand chien
Ayant perdu la mémoire
Et qui cherchera sur terre
Comme le long de la mer
L'homme qu'il laissa derrière
Immobile, entre ses mains
Raides et définitives.

SANS DIEU

J'avance entre les astres avec deux chiens aveugles
Qui parfois se rapprochent pour chercher mon chemin.
On ne voit rien ici qui ressemble à la Terre
Mais une odeur saline à mes lèvres parvient
Et j'entends une voix qui tourne dans ma tête
Comme dans une cage un oiseau presque humain.
Mon cœur de chaque jour, ici noire est l'aurore,
Veut en vain s'allumer sous le ciel qui déborde.
Le givre de la nuit paralyse l'éther,
Je m'avance et me sens mille fois découvert,
Prêtant le flanc, le dos, la tête et la poitrine
A tous les dards de l'Inconnu qui m'avoisine.
Je vais posant les pieds sur un sol nuageux
Où mes yeux ne voient pas les empreintes de Dieu
Et ne laisse après moi qu'un reste de vertige
Qui difficilement au loin se cicatrise.

Girafes faméliques,
O lécheuses d'étoiles,
Dans le trouble de l'herbe
Bœufs cherchant l'infini,

Lévriers qui croyez
L'attraper à la course,
Racines qui savez
Qu'il se cache dessous,

Hostile environment —but as sensitive to him
as he is to it.

110

CHOIX DE POÈMES

Qu'êtes-vous devenus
Pour moi qui suis perdu
Vivant, sans autre appui
Que les sables nocturnes ?

*très ironique — il quitte
tout*

Parfois l'air se contracte
Jusqu'à prendre figure.
Des deux côtés de l'âme
Que va-t-il advenir ?

Terrestres souvenirs
Qu'appelez-vous un arbre,
La vague sur la plage,
Un enfant endormi ?

Je voudrais apaiser
Ma plaintive mémoire
Je voudrais lui conter
Une patiente histoire. *Une histoire qui fera
patiente sa mémoire*

Autour de moi les mains errantes des amis,
Sentant que je suis seul égaré dans l'espace
Me cherchent sans pouvoir trouver l'exacte place
Et repartent au large vers la Terre qui fuit.
La feuille d'un palmier privé de ses racines,
Murmure à mon oreille une chanson sans suite.
Le ciel tout près de moi me tourmente et me ment, *anapho*
Il m'a pris mes deux chiens gelés restés derrière,
Et j'entends leur exsangue, immobile aboiement.
Les étoiles se groupent et me tendent des chaînes
Faudra-t-il humblement leur offrir mes poignets ?
Une voix qui voudrait faire croire à l'été
Décrit un banc de parc à ma fatigue humaine.
Le ciel est toujours là qui creuse son chemin,
Voici l'écho des coups de pic dans ma poitrine.
O ciel, ciel abaissé, je te touche des mains
Et m'enfonce voûté dans la céleste mine.

*Enfoncé, enseveli dans le ciel
comme dans un sépulchre.*

AUTRES POÈMES

FEUX DU CIEL

à Pierre Guéguen.

La foudre coupa l'homme de son ombre.
Où courez-vous ainsi, chères ombres sans hommes ?

Animaux errants, naseaux, encolures,
Est-ce vous ce grand feu dans la brousse qui fume ?

Rivages à la ronde, comme vous tressaillez !
Dans les eaux montagneuses qu'allez-vous enfanter ?

Poissons qui fuyez sur la mer torride
Qu'avez-vous fait, qu'avez-vous fait du golfe de Floride ?

L'air demeure angoissé de mouettes immobiles
Et leur cœur est une île de glace sous les plumes
Des colons, un à un, avançant à la nage
Sont déposés vivants sur d'horribles rivages.

— Mais qui êtes-vous qui parlez ainsi
Avec cette voix qui n'est pas d'ici ?
Répondrez-vous, ô vide, où tremblait un visage ?

— Voici le jour venu, voici le jour venu,
Où le mont a cédé son altitude aux nues,
Et, tandis que la mort s'entête,
Les vents changent de planète !

Une voix tombe d'un nuage
Disant : J'arrive à l'instant »,
Mais le nuage prend le large.
Nul n'en descend.

De ce bout du monde à l'autre
Vont de hautaines statues
Et de grands galops de marbre
En patrouille dans les rues.

« Où sont vos papiers, passant obscurci,
Le bras en écharpe et le cœur roussi.
Est-il des survivants au monde ?

— Ombre pour ombre, ami, nous sommes compagnons,
Vous voyez bien que nous portons
La bague opaque des morts ».

RÉVEILS

Le jour auprès de moi se fixe
Mais il m'ajourne dans l'oubli.
Si je m'approche du miroir
Je n'y découvre rien de moi.

Hier encore j'eusse dit : « Mes mains »
Et aussi : « Mes jours et mes nuits ».
Aujourd'hui je ne sais que dire,
Tous les mots sont restés au loin,
Saisis par leur propre délire.

Est-ce moi qui suis assis
Sur le talus de la nuit ?
Ce n'est pas même un ami.
C'est n'importe qui.

Regardons ailleurs, ailleurs,
Regardons toujours ailleurs.

Tout seul sans moi, tout privé de visage,
Me suffirait un petit peu de moi,
Mon moi est loin, perdu dans quel voyage,
Comment savoir même s'il rentrera.

Formons un tas de mes petites hardes
Ne pensons plus au maître dur qui tarde.
Mais quand le moi est parti sans conteste
Comment ne pas trembler dans ce qui reste,

Mince enveloppe où j'essaie d'avoir chaud,
Tant bien que mal, loin de mes propres os.

EN PAYS ÉTRANGER

Ces visages sont-ils venus de ma mémoire,
Et ces gestes ont-ils touché terre, ou le ciel ?
Cet homme est-il vivant comme il semble le croire,
Avec sa voix, avec cette fumée aux lèvres ?
Chaises, tables, bois dur, vous que je peux toucher
Dans ce pays neigeux dont je ne sais la langue,
Poêle, et cette chaleur qui chuchote à mes mains,
Quel est cet homme devant vous qui me ressemble
Jusque dans mon passé, sachant ce que je pense,
Touchant si je vous touche et comblant mon silence,
Et qui soudain se lève, ouvre la porte, passe
En laissant tout ce vide où je n'ai plus de place ?

LE

Il ne faut pas le dire
Ni même le murmurer,
Il ne faut pas en écrire,
Il ne faut pas y songer
Même dans le délire,
Il ne faut le regarder
Qu'à travers des yeux bandés,
Et surtout ne l'approcher
Qu'avec des gants de fer.

*Ce chat que vous voyez sauter d'un bout à l'autre de
    l'avenue,*
Prenez garde, prenez garde qu'il n'habite votre poitrine
Et ne soit en vérité que l'animal sanguinolent
Appelé cœur tapi en vous pour vous donner vie et tourment.
*Coures à gauche, dépêchez-vous et puis à droite,
    oubliez-le,*
*Mais l'important — pleurez, pleurez —, c'est que lui aussi
    vous oublie.*

Quatorze voix en même temps
Avec le vent, contre le vent,
Et toutes savent, toutes vivent,

Quatorze voix vont le cherchant
Et l'une brûle son logis,
En veut à son seul occupant.
Comme elle lèche sa fenêtre
Et tire une très longue langue
Jusques au fond du corridor !
Quatorze voix en même temps,
Que ferez-vous donc de cet homme ?
Allez ailleurs, brûlez ailleurs,
Le monde est grand, vous trouverez
Voix folles, à vous employer !
Laissez ce corps d'homme tranquille
Jamais vous ne pourrez l'atteindre
Dans les lointains qui sont en lui.

Le ciel se penche sur la Terre et ne la reconnaît plus
Comme une mère dont on aurait changé l'enfant durant
la nuit.
La route vous dit : « Non », en pleine figure comme elle
vous cracherait dessus
Et s'en va rejoindre sous terre les autres routes qui n'en
sont plus.

Je suis si seul que je ne reconnais plus la forme exacte de
mes mains
Et je sens mon cœur en moi comme une douleur étrangère.
Silence ! On ne peut pas offrir l'oreille à ces voix-là.
On ne peut même pas y penser tout bas
Car l'on pense beaucoup trop haut et cela fait un vacarme
terrible.

DERRIÈRE LE SILENCE

à André Gaillard.

Le soir, ses lentes paupières,
Comme un oiseau près de mourir.
Qui lui jeta la grave pierre
Par où coule déjà la nuit ?

Les racines dans la terre
Sentent s'accroître le péril.
L'âme oublieuse de la chair
S'alarme et gagne son zénith.

Dans la noirceur qui nous entoure
La lune veut faire son nid
Mais les ténèbres qui la roulent
Lui font perdre appui sur appui.

On se regarde, on s'ignore,
On croit saisir une main :
C'est la blancheur du lendemain,
On se penche sur l'aurore.

Autour de moi les murs aux sévères épaules
Ont longtemps déchargé des tombereaux de nuit.
Mes mains ne pourront pas se défaire de l'ombre
Qui roule sur mon lit.

Le jour se lève sur le port,
Entraînant le monde à sa suite.
Rendez-moi les quais de l'aurore !
Je suis resté vivant dans la glu de la nuit.

LE MIROIR

Qu'on lui donne un miroir au milieu du chemin,
Elle y verra la vie échapper à ses mains,
Une étoile briller comme un cœur inégal
Qui tantôt va trop vite et tantôt bat si mal.

Quand ils approcheront, ses oiseaux favoris,
Elle regardera mais sans avoir compris,
Voudra, prise de peur, voir sa propre figure,
Le miroir se taira, d'un silence qui dure.

Visage qui m'attire en mes secrètes rives
Ton nom simple et léger je ne sais pas le dire ;
Sur ma langue toujours il se contracte et meurt,
Mais s'il est mort de peur, la peur le ressuscite.

Heureux celui qui peut dire : « Voici de l'*herbe* »,
« Regardez ce *cheval* buvant à la *rivière* »,
Ou bien : « *Paul* » ou « *Robert* » ou bien « *Marie* » ou
  « *Jeanne* »,
Mais c'est un autre nom celui qu'en moi j'étrangle
Si mal, avec des mains qui sauraient mieux aimer.

LE FAON

à Julien Lanoë.

Si je touche cette boîte
En bois de haute futaie
Un faon s'arrête et regarde
Au plus fort de la forêt.

Beau faon, détourne la tête,
Poursuis ton obscur chemin,
Tu ne sauras jamais rien
De ma vie et de ses gestes.

Que peut un homme pour toi,
Un homme qui te regarde
A travers le pauvre bois
D'une boîte un peu hagarde ?

Ton silence et tes beaux yeux
Sont clairières dans le monde,
Et tes fins petits sabots,
Pudeur de la terre ronde.

Un jour tout le ciel prendra
Comme un lac, par un grand froid,
Et fuiront, d'un monde à l'autre,
De beaux faons, les miens, les vôtres.

Un bœuf gris de la Chine,
Couché dans son étable,
Allonge son échine
Et dans le même instant
Un bœuf de l'Uruguay
Se retourne pour voir
Si quelqu'un a bougé.
Vole sur l'un et l'autre
A travers jour et nuit
L'oiseau qui fait sans bruit
Le tour de la planète
Et jamais ne la touche
Et jamais ne s'arrête.

LES FLEURS DU PAPIER DE TA CHAMBRE

pour Anita.

« Nous sommes sur le mur
Et ne sommes pas dures,
Nous avons un parfum
Plus léger que nature
Qui sent bon un jardin
Dans les pays futurs
Ou les pays anciens,
C'est là notre parure.
Et nous nous répétons.
Du parquet au plafond,
Crainte d'être incomprises,
Parce que nous n'avons
Ni fraîcheur ni saisons
Ciel, abeilles ni brises. »

Une main sur le mur,
C'est l'enfant qui s'éveille,
Elle a grand'peur, allume,
Le papier de la chambre
A soi-même est pareil,
Il veille et l'accompagne.
Le pied touche le bois
Du lit toujours sérieux
Qui lui dit dans ses voix :

« Ce n'est pas l'heure encore
De partir pour l'école »
Anita se rendort
Dans le calme parfum
De son papier à fleurs
Dont les belles couleurs
Ignorant le repos
Dans la nuit, à tâtons,
Sans se tromper jamais
Elaborent l'aurore.

Dans la forêt sans heures
On abat un grand arbre.
Un vide vertical
Tremble en forme de fût
Près du tronc étendu.

Cherchez, cherchez oiseaux,
La place de vos nids
Dans ce haut souvenir
Tant qu'il murmure encore.

L'ENFANT NÉE DEPUIS PEU

pour Anne Marie.

Faisant le geste vif d'écarter les nuages
Elle touche enfin terre, au sortir de ses astres.

Et les murs voudraient voir de près l'enfant nouvelle
Qu'un peu de jour, adroit dans l'ombre, leur décèle.

Le bruit de la cité qui cherche son oreille
Désire y pénétrer comme une obscure abeille,

Hésite, puis s'éloigne, effrayé par degrés,
De cette chair encor trop près de son secret
Et qui s'expose toute avec sa petitesse
A l'air luisant, aveugle et tremblant de promesses,

Après le long voyage où les yeux étaient clos
Dans un pays toujours nocturne, sans échos,

Et dont le souvenir est dans les mains serrées
(Ne les desserrez pas, laissez lui sa pensée).

Elle pense :

« Si sévères et si grandes
Ces personnes qui regardent
Et leurs figures dressées
Comme de hautes montagnes.

Suis-je un lac, une rivière,
Suis-je un miroir enchanté ?
Pourquoi me regardent-ils ?
Je n'ai rien à leur donner.
Qu'ils s'en aillent, qu'ils s'en aillent
Au pays de leurs yeux froids,
Au pays de leurs sourcils
Qui ne savent rien de moi.
J'ai encore fort affaire
Dessous mes closes paupières.
Il me faut prendre congé
De couleurs à oublier,
De millions de lumières
Et de plus d'obscurité
Qui sont de l'autre côté.
Il me faut mettre de l'ordre
Parmi toutes ces étoiles
Que je vais abandonner.
Au fond d'un sommeil sans bornes,
Il me faut me dépêcher ».

Dans son château, l'enfant à la nourrice,
Regardez-la par le jour d'un créneau !
Sa lèvre ignore encor le goût des mots
Et ces regards vont sur les vagues lisses
Chercher fortune, à l'instar des oiseaux.

Que signifient ces blancheurs, cette écume,
Quel grand couteau a taillardé les flots ?
Mais on dirait que s'avance un bateau
Et que du pont, pris d'une ivresse brusque,
Douze plongeurs se sont jetés à l'eau.

O mes nageurs, une enfant vous regarde,
L'écume luit et ses signes nacrés,
Fol alphabet, aux blancheurs sans mémoire.
Qu'elle s'obstine à vouloir déchiffrer,
Mais toujours l'eau brouille toute l'histoire.

LES AMIS INCONNUS

(1934)

LES AMIS INCONNUS

Il vous naît un poisson qui se met à tourner
Tout de suite au plus noir d'une lame profonde,
Il vous naît une étoile au-dessus de la tête,
Elle voudrait chanter mais ne peut faire mieux
Que ses sœurs de la nuit, les étoiles muettes.

Il vous naît un oiseau dans la force de l'âge,
En plein vol, et cachant votre histoire en son cœur
Puisqu'il n'a que son cri d'oiseau pour la montrer.
Il vole sur les bois, se choisit une branche
Et s'y pose ; on dirait qu'elle est comme les autres.

Où courent-ils ainsi ces lièvres, ces belettes,
Il n'est pas de chasseur encor dans la contrée,
Et quelle peur les hante et les fait se hâter,
L'écureuil qui devient feuille et bois dans sa fuite,
La biche et le chevreuil soudain déconcertés ?

Il vous naît un ami, et voilà qu'il vous cherche,
Il ne connaîtra pas votre nom ni vos yeux,
Mais il faudra qu'il soit touché comme les autres
Et loge dans son cœur d'étranges battements
Qui lui viennent de jours qu'il n'aura pas vécus.

Et vous, que faites-vous, ô visage troublé,
Par ces brusques passants, ces bêtes, ces oiseaux,
Vous qui vous demandez, vous, toujours sans nouvelles ;
« Si je croise jamais un des amis lointains
Au mal que je lui fis, vais-je le reconnaître ? »

Pardon pour vous, pardon pour eux, pour le silence
Et les mots inconsidérés,
Pour les phrases venant de lèvres inconnues
Qui vous touchent de loin comme balles perdues,
Et pardon pour les fronts qui semblent oublieux.

LES CHEVAUX DU TEMPS

Quand les chevaux du Temps s'arrêtent à ma porte
Je ne puis m'empêcher de les regarder boire
Puisque c'est de mon sang qu'ils étanchent leur soif.
Ils tournent vers ma face un œil reconnaissant
Pendant que leurs longs traits m'emplissent de faiblesse
Et me laissent si las, si seul et décevant
Qu'une nuit passagère envahit mes paupières
Et qu'il me faut soudain refaire en moi des forces,
Pour qu'un jour, où viendrait l'attelage assoiffé,
Je puisse encore vivre et les désaltérer.

L'OISEAU

Oiseau, que cherchez-vous, voletant sur mes livres,
Tout vous est étranger dans cette étroite chambre.

— J'ignore votre chambre et je suis loin de vous,
Je n'ai jamais quitté mes bois, je suis sur l'arbre
Où j'ai caché mon nid, comprenez autrement
Tout ce qui vous arrive, oubliez un oiseau.

— Mais je vois de tout près vos pattes, votre bec.

— Sans doute pouvez-vous rapprocher les distances
Si vos yeux m'ont trouvé ce n'est pas de ma faute.

— Pourtant vous êtes là puisque vous répondez.

— Je réponds à la peur que j'ai toujours de l'homme,
Je nourris mes petits, je n'ai d'autre loisir.
Je les garde en secret au plus sombre d'un arbre
Que je croyais touffu comme l'un de vos murs.
Laissez-moi sur ma branche et gardez vos paroles,
Je crains votre pensée comme un coup de fusil.

— Calmez donc votre cœur qui m'entend sous la plume.

— Mais quelle horreur cachait votre douceur obscure
Ah ! vous m'avez tué, je tombe de mon arbre.
— J'ai besoin d'être seul, même un regard d'oiseau...

— Mais puisque j'étais loin, au fond de mes grands bois ! »

L'ALLÉE

Ne touchez pas l'épaule
Du cavalier qui passe,
Il se retournerait
Et ce serait la nuit,
Une nuit sans étoiles,
Sans courbe ni nuages.
— Alors que deviendrait
Tout ce qui fait le ciel,
La lune et son passage,
Et le bruit du soleil ?
— Il vous faudrait attendre
Qu'un second cavalier
Aussi puissant que l'autre
Consentît à passer.

L'OURS

Le pôle est sans soupirs.
Un ours tourne et retourne
Une boule plus blanche
Que la neige et que lui.
Comment lui faire entendre
Du fond de ce Paris
Que c'est l'ancienne sphère
De plus en plus réduite
D'un soleil de minuit,
Quand cet ours est si loin
De cette chambre close,
Qu'il est si différent
Des bêtes familières
Qui passent à ma porte,
Ours penché sans comprendre
Sur son petit soleil
Qu'il voudrait peu à peu
Réchauffer de son souffle
Et de sa langue obscure
Comme s'il le prenait
Pour un ourson frileux
Qui fait le mort en boule
Et ferme fort les yeux.

LE POMMIER

A force de mourir et de n'en dire rien
Vous aviez fait un jour jaillir, sans y songer,
Un grand pommier en fleurs au milieu de l'hiver
Et des oiseaux gardaient de leurs becs inconnus
L'arbre non saisonnier, comme en plein mois de mai,
Et des enfants joyeux de soleil ou de brume
Faisaient la ronde autour, à vivre résolus.
Ils étaient les témoins de sa vitalité.
Et l'arbre de donner ses fruits sans en souffrir
Comme un arbre ordinaire, et, sous un ciel de neige,
De passer vos espoirs de toute sa hauteur.
Et son humilité se voyait de tout près.
Oui, craintive, souvent, vous vous en approchiez.

FIGURES

Je bats comme des cartes
Malgré moi, des visages,
Et tous, ils me sont chers.
Parfois l'un tombe à terre
Et j'ai beau le chercher
La carte a disparu.
Je n'en sais rien de plus.
C'était un beau visage,
Pourtant, je l'aimais bien.
Je bats les autres cartes.
L'inquiet de ma chambre,
Je veux dire mon cœur,
Continue à brûler
Mais non pour cette carte,
Qu'une autre a remplacée.
C'est un nouveau visage,
Le jeu reste complet
Mais toujours mutilé.
C'est tout ce que je sais,
Nul n'en sait davantage.

LES MAINS PHOTOGRAPHIÉES

On les faisait pénétrer au monde des surfaces lisses,
Où même des montagnes rocheuses sont douces, faciles au
toucher,
Et tiennent dans le creux de la main.
On les traitait comme un visage pour la première fois de
leur vie,
Et sous les feux des projecteurs
Elles se sentirent un front vague
Et les symptômes premiers d'une naissante physionomie.
De très loin venait la mémoire aborder ces rivages vierges
Avec le calme d'une houle qui mit longtemps à se former.
Les connaissances du cerveau parvenaient enfin jusqu'au
pouce.
Le pouce légèrement acquiesçait dans son domaine,
Et pendant que dura la pose
Les mains donnèrent leur nom au soleil, à la belle journée.
Elles appelèrent « tremblement » cette légère hésitation
Qui leur venait du cœur humain, à l'autre bout des veines
chaudes,
Elles comprirent que la vie est chose passante et fragile
Puis, les projecteurs s'éloignant,
Elles ne connurent plus rien de ce qu'elles avaient deviné
Durant ce court entretien avec des forces lumineuses.
Le moment était arrivé où l'on ne pouvait même plus,
Les appeler oublieuses.

L'APPEL

Les dames en noir prirent leur violon
Afin de jouer, le dos au miroir.

Le vent s'effaçait comme aux meilleurs jours
Pour mieux écouter l'obscure musique.

Mais presque aussitôt, pris d'un grand oubli,
Le violon se tut dans les bras des femmes,

Comme un enfant nu qui s'est endormi
Au milieu des arbres.

Rien ne semblait plus devoir animer
L'immobile archet, le violon de marbre.

Et ce fut alors qu'au fond du sommeil,
Quelqu'un me souffla de me dépêcher :
« Il est encor temps, venez tout de suite ».

LE HORS-VENU

Il couchait seul dans de grands lits
De hautes herbes et d'orties,
Son corps nu toujours éclairé
Dans les défilés de la nuit
Par un soleil encor violent
Qui venait d'un siècle passé
Par monts et par vaux de lumière
A travers mille obscurités.
Quand il avançait sur les routes
Il ne se retournait jamais.
C'était l'affaire de son double
Toujours à la bonne distance
Et qui lui servait d'écuyer.
Quelquefois les astres hostiles
Pour s'assurer que c'était eux
Les éprouvaient d'un cent de flèches
Patiemment empoisonnées.
Quand ils passaient, même les arbres
Etaient pris de vivacité,
Les troncs frisonnaient dans la fibre,
Visiblement réfléchissaient.
Et ne parlons pas du feuillage,
Toujours une feuille en tombait
Même au printemps quand elles tiennent

Et sont dures de volonté.
Les insectes se dépêchaient
Dans leur besogne quotidienne,
Tous, la tête dans les épaules,
Comme s'ils se la reprochaient.
La pierre prenait conscience
De ses anciennes libertés ;
Lui, savait ce qui se passait
Derrière l'immobilité
Et devant la fragilité.
Les jeunes filles le craignaient,
Parfois des femmes l'appelaient
Mais il n'en regardait aucune
Dans sa cruelle chasteté.
Les murs excitaient son esprit,
Il s'en éloignait enrichi
Par une gerbe de secrets
Volés au milieu de leur nuit
Et que toujours il recélait
Dans son cœur sûr, son seul bagage,
Avec le cœur de l'écuyer.
Ses travaux de terrassement
Dans les carrières de son âme
Le surprenaient-ils, harassé,
Près de bornes sans inscription,
Tirant une langue sanglante
Tel un chien aux poumons crevés,
Qu'il regardait ses longues mains
Comme un miroir de chair et d'os
Et aussitôt il repartait.
Ses enjambées étaient célèbres,
Mais seul il connaissait son nom
Que voici : « Plus-grave-que-l'homme
Et-savant-comme-certains-morts
Qui-n'ont-jamais-pu-s'endormir ».

LES VEUVES

La triste qui vous tient, la claire qui vous suit,
La tenace aux yeux noirs qui chante pour soi seule
Mais ne sait vous quitter, même pas à demi,
Elles ne sont plus là que par leurs voix de veuves
Comme si vous n'étiez qu'une voix vous aussi.
De leurs jours alarmés, elles viennent à vous
Et leurs sombres élans s'enroulent à votre âme
Mais toujours leur aveu se défait à vos pieds,
Puisqu'il n'est pas de mots pour tant d'ombre et de
        [flammes.

Le monde est plein de voix qui perdirent visage
Et tournent nuit et jour pour en demander un.
Je leur dis : « ⋅Parlez-moi de façon familière
Car c'est moi le moins sûr de la grande assemblée.
— N'allez pas comparer notre sort et le vôtre »,
Me répond une voix, « je m'appelais un tel,
Je ne sais plus mon nom, je n'ai plus de cervelle
Et ne puis disposer que de celle des autres.
Laissez-moi m'appuyer un peu sur vos pensées.
C'est beaucoup d'approcher une oreille vivante
Pour quelqu'un comme moi qui ne suis presque plus.
Croyez ce que j'en dis, je ne suis plus qu'un mort,
Je veux dire quelqu'un qui pèse ses paroles ».

L'AUBE DANS LA CHAMBRE

Le petit jour vient toucher une tête en son sommeil,
Il glisse sur l'os frontal
Et s'assure que c'est bien le même homme que la veille.
A pas de loup, les couleurs pénètrent par la croisée
Avec leur longue habitude de ne pas faire de bruit.
La blanche vient de Timor et toucha la Palestine
Et voilà que sur le lit elle s'incline et s'étale.
Cette grise, avec regret se sépara de la Chine,
La voici sur le miroir
Lui donnant sa profondeur,
Rien qu'en s'approchant de lui.
Une autre va vers l'armoire et la frotte un peu de jaune ;
Celle-ci repeint de noir
La condition de l'homme
Qui repose dans son lit.
Alors l'âme qui le sait,
Mère inquiète toujours près de ce corps qui s'allonge :
« Le malheur n'est pas sur nous
Puisque le corps de nos jours
Dans la pénombre respire.
Il n'est plus grande douleur
Que ne plus pouvoir souffrir
Et que l'âme soit sans gîte
Devant des portes fermées.

Un jour je serai privée de ce grand corps près de moi ;
J'aime bien à deviner ses formes dessous les draps,
Mon ami le sang qui coule dans son delta malaisé,
Et cette main qui parfois
Bouge un peu sous quelque songe
Qui ne laissera de trace
Dans le corps ni dans son âme.
Mais il dort, ne pensons pas pour ne pas le réveiller.
Qu'on ne m'entende pas plus que le feuillage qui pousse
Ni la rose de verdure ».

LE REGRET DE LA TERRE

Un jour, quand nous dirons : « C'était le temps du soleil,
Vous souvenez-vous, il éclairait la moindre ramille
Et aussi bien la femme âgée que la jeune fille étonnée,
Il savait donner leur couleur aux objets dès qu'il se posait.
Il suivait le cheval coureur et s'arrêtait avec lui.
C'était le temps inoubliable où nous étions sur la Terre,
Où cela faisait du bruit de faire tomber quelque chose,
Nous regardions alentour avec nos yeux connaisseurs,
Nos oreilles comprenaient toutes les nuances de l'air,
Et lorsque le pas de l'ami s'avançait, nous le savions ;
Nous ramassions aussi bien une fleur qu'un caillou poli,
Le temps où nous ne pouvions attraper la fumée,
Ah ! c'est tout ce que nos mains sauraient saisir
   maintenant ».

POUR UN POÈTE MORT

Donnez-lui vite une fourmi,
Et si petite soit-elle,
Mais qu'elle soit bien à lui !
Il ne faut pas tromper un mort.
Donnez-la lui, ou bien le bec d'une hirondelle,
Un bout d'herbe, un bout de Paris,
Il n'a plus qu'un grand vide à lui
Et comprend encor mal son sort.

A choisir il vous donne en échange
Des cadeaux plus obscurs que la main ne peut prendre :
Un reflet qui couche sous la neige,
Ou l'envers du plus haut des nuages,
Le silence au milieu du tapage,
Ou l'étoile que rien ne protège.
Tout cela, il le nomme et le donne,
Lui qui est sans un chien ni personne.

Mes frères qui viendrez, vous vous direz un jour :
« Un poète prenait les mots de tous nos jours
Pour chasser sa tristesse avec une nouvelle
Tristesse, infiniment plus triste et moins cruelle.
Il avait un visage, où l'air se reflétait,
— Passage des oiseaux, et dessous des forêts —,
Qui se reforme encor dans sa tâche profonde,
Et, nous aperçoit-il, abrité par ses vers,
Qu'il se console, avec nos visages divers,
De n'être plus du monde ».

LE DÉSIR

Quand les yeux du désir, comme un sévère juge, vous
    disent d'approcher,
Que l'âme demeure effrayée
Par le corps aveugle qui la repousse et s'en va tout seul
Comme un frère somnambule,
Quand le sang coule plus sombre de ses secrètes
    montagnes,
Que le corps jusqu'aux cheveux n'est qu'une grande main
    inhumaine
Tâtonnante, même en plein jour...
Mais il est un autre corps,
Voici l'autre somnambule,
Ce sont deux têtes qui bourdonnent maintenant et se
    rapprochent,
Des torses nus sans mémoire cherchent à se comprendre
    dans l'ombre,
Et la peau, la muette de soie, s'exprime par la plus grande
    douceur
Jusqu'au moment où les êtres
Sont déposés interdits, sur des rivages différents.
Alors l'âme se retrouve dans le corps sans savoir comment,
Et ils s'éloignent réconciliés en se demandant des nouvelles.

A RICARDO GUIRALDES

Sur un banc de Buenos-Aires, sur un sol très lisse et long
    qui était déjà de la plaine,
Et fumait de s'élancer dans toutes les directions,
Ils étaient assis, Ricardo Guiraldes et quelqu'un d'autre
    qui le voyait pour la première fois.
Et ce souvenir est comme le feu rouge d'une cigarette qui
    brille la nuit en plein ciel, on ne verrait rien d'autre.
(Pourtant la mort nous a encore rapprochés et c'est depuis
    lors que je le tutoie).
Maintenant, Ricardo, nous sommes là quelques amis
    assemblés de l'autre côté du fleuve,
Comme un groupe d'astronomes qui complotent dans
    l'obscurité un accord avec une étoile lointaine,
Une étoile très distraite dont ils voudraient appeler
    l'attention et l'amitié,
Ils disposent leurs appareils, tournent d'étranges mani-
    velles,
Et voilà que l'on entend une musique délicate
Parce que nous te sommes soudain devenus transparents,
Sur notre vieille Terre qui tourne nuit et jour faisant
    modestement son devoir,
Et nous te voyons installé dans ta flamme céleste,
Puisque tu peux désormais te faire une place raisonnable
    même dans le feu,

Ou au cœur d'un diamant où tu pourrais pénétrer sans
   avoir à descendre de ton nouveau cheval.
Accueilleras-tu cette voix qui voudrait monter vers toi,
Toi qui ne respires plus qu'à la façon des étoiles et avec
   leur complicité
Et te passes d'un corps comme d'un vêtement hors d'usage
Mais tu ne peux t'empêcher de suivre le regard d'Adeline
   sur tes manuscrits inachevés.

LE SILLAGE

On voyait le sillage et nullement la barque,
Une menace errait, comme cherchant la place.

Ils s'étaient regardés dans le fond de leurs yeux,
Apercevant enfin la clairière attendue

Où couraient de grands cerfs dans toute leur franchise.
Les chasseurs n'entraient pas dans ce pays sans larmes.

Ce fut le lendemain, après une nuit froide,
Qu'on reconnut en eux des noyés par amour.

Mais ce que l'on pouvait prendre pour leur douleur
Nous faisait signe à tous de ne pas croire en elle.

Un peu de leur voilure errait encore en l'air
Toute seule, prenant le vent pour son plaisir,

Loin de la barque et des rames à la dérive.

Les femmes se donnaient, en passant, sur des tertres,
Chacune allait toujours vers de nouveaux miroirs,
Même l'homme loyal était sans souvenirs,
Les lettres s'effaçaient, seules, au tableau noir,
La mémoire dormait, ivre de rêverie,
Et voulait-on tenir la main de son amie
Que déjà l'on touchait une main étrangère,
Plus douce entre vos mains de ce qu'elle changeait,
Bougeait et devenait mille mains à venir.
L'on se voyait toujours comme au fond d'un grand bois
Pour la première fois, et la dernière fois.
Même dans le sommeil vous pressait l'avenir,
Et cherchait-on un peu de calme dans le ciel
Que sous vos yeux la nuit s'étoilait autrement,
Tant la distraction était son élément.
Les astres se trompaient dans leurs sources profondes
Et la Terre craignant de ne plus être ronde
En souffrait pour soi-même et pour l'honneur du ciel.

L'ESCALIER

Parce que l'escalier attirait à la ronde,
Et qu'on ne l'approchait qu'avec des yeux fermés,
Que chaque jeune fille en gravissant les marches,
Vieillissait de deux ans à chaque triste pas,
— Sa robe avec sa chair dans une même usure —
Et n'avait qu'un désir, ayant vécu si vite,
Se coucher pour mourir sur la dernière marche ;
Parce que loin de là une fillette heureuse,
Pour en avoir rêvé au fond d'un lit de bois,
Devint, en une nuit, sculpture d'elle-même,
Sans autre mouvement que celui de la pierre
Et qu'on la retrouva, rêve et sourire obscurs,
Tous deux pétrifiés mais simulant toujours...
Mais un jour l'on gravit les marches comme si
Rien que de naturel ne s'y passait jamais,
Des filles y mangeaient les claires mandarines
Sous les yeux des garçons qui les regardaient faire.
L'escalier ignorait tout de son vieux pouvoir.
Vous en souvenez-vous ? Nous y fûmes ensemble
Et l'enfant qui venait avec nous le nomma.
C'était un nom hélas si proche du silence
Qu'en vain il essaya de nous le répéter
Et, confus, il cacha la tête dans ses larmes
Comme nous arrivions en haut de l'escalier.

LE SPECTATEUR

Il faisait beau dans la chambre
Plus que sur toute la terre.
Sous les objets les plus proches
L'on décelait de la joie :
En déplaçant une étoffe
Il s'en échappait parfois,
Vite comme un oiseau-mouche
Dont se découvre le nid.
Le cœur ne vivait que d'une
Inquiétude adorée,
Il fallait chercher toujours,
Çà et là l'on furetait.
Rien de ce qui fait les bois,
Les grottes ni les cascades
Ne manquait entre ces murs
Ni les profondeurs sauvages.
Les espaces du dehors
Pénétraient dans la demeure
S'assuraient de votre corps
Aux formes douces-amères
Le ciel lui-même était là,
Et sa menace discrète,
L'on entendait sur sa tête
L'avertissement des sphères.
Mais pourquoi ne dire rien

De la femme de silence
Qui voulait vous ignorer
Seule au centre de la pièce
Et gardait sa voix secrète
Dans les globes de ses yeux ?
Vous étiez pourtant si plein
De déférence et de songe,
— Gestes purs et circonspects
Comme un marcheur sur les flots —
Mais elle vous redoutait
Plus que les monstres nocturnes
Parce que, levant les yeux,
Vous supprimiez du regard
Toute la douceur du jour
Et bien que sa belle tête
De vous-même fût si proche
Elle savait accomplir
Entre sa vie et la vôtre
Des forêts et des ravines
Sans parler des marécages
Et autres terres mouvantes
Et votre vie s'écoulait,
A travers un grand silence,
De votre verre à la mer.

Ce fut alors que quelqu'un
Entra, demandant à boire.
Il frappa sur une table
Que jamais nul n'avait vue,
Et la femme, devenue
Servante, approcha de lui.
Elle était à demi nue
Pendant que l'on entendait
Hennir un cheval aux portes
Comme un orage tout proche
Et que les murs consistants
Ne laissaient plus rien passer
Non plus que les trois fenêtres
Défendant au jour d'entrer.
Vous, vous aviez disparu

De la mémoire des hommes,
Ne laissant derrière vous
Que votre portrait au mur,
Vivant, curieux de tout,
Et plus humain que nature,
Mais si craquelé, noirci,
Par sa propre inquiétude
Que l'un y voit une tête
L'autre, quelque paysage.
Ils discutaient devant vous
Qui ne pouviez pas bouger
L'âme prise en la peinture,
Ils s'éloignèrent enfin
Vous laissant à votre cadre
Et se mirent à jouer
Avec de nouvelles cartes.
Ce n'était trèfle ni cœur,
Pique ni carreau non plus,
C'était le jeu de l'amour
Lorsque nous n'y serons plus.
Forcé à la patience
De ceux qui n'ont pas de bras
Vous n'aviez plus de pouvoir
Sur les hommes ni les femmes.
Vous étiez comme un pendu
Privé même de salive,
Un dur cordon vous fixait
A la cruelle solive ;
Cependant qu'on abattait
Les cartes et les couleurs
Seul votre cadre savait
Que vous étiez spectateur.

Plein de songe mon corps, plus d'un fanal s'allume
A mon bras, à mes pieds, au-dessus de ma tête.
Comme un lac qui reflète un mont jusqu'à sa pointe
Je sens la profondeur où baigne l'altitude
Et suis intimidé par les astres du ciel.

UN POÈTE

Je ne vais pas toujours seul au fond de moi-même
Et j'entraîne avec moi plus d'un être vivant.
Ceux qui seront entrés dans mes froides cavernes
Sont-ils sûrs d'en sortir, même pour un moment?
J'entasse dans ma nuit, comme un vaisseau qui sombre,
Pêle-mêle, les passagers et les marins,
Et j'éteins la lumière aux yeux, dans les cabines,
Je me fais des amis des grandes profondeurs.

LE NUAGE

Il fut un temps où les ombres
A leur place véritable
N'obscurcissaient pas mes fables.
Mon cœur donnait sa lumière.

Mes yeux comprenaient la chaise de paille,
La table de bois,
Et mes mains ne rêvaient pas
Par la faute des dix doigts.

Mais maintenant le temps se désagrège
Comme sous mille neiges ;
Plus je vais et je viens,
Moins je suis sûr de rien.

Ecoute-moi, Capitaine de mon enfance,
Faisons comme avant,
Montons à bord de ma première barque
Qui passait la mer quand j'avais dix ans.

Elle ne prend pas l'eau du songe
Et sent sûrement le goudron,
Ecoute, ce n'est plus que dans mes souvenirs
Que le bois est encor le bois, et le fer, dur.

Depuis longtemps, Capitaine,
Tout m'est nuage et j'en meurs.

La lampe rêvait tout haut qu'elle était l'obscurité
Et répandait alentour des ténèbres nuancées,
Le papier se brunissait sous son regard apaisé,
Les murs veillaient, assourdis, l'intimité sans limites.
S'il vous arrivait d'ouvrir des livres sur des rayons
Voilà qu'ils apparaissaient avec leur texte changé,
Et l'on voyait çà et là luire des mots chuchotants.
Vous déceliez votre nom en désarroi dans le texte
Et cependant que tombait une petite pluie d'ombres,
Métamorphosant les mots sous un acide inconnu,
Un dormeur rêvait tout bas près de sa lampe allumée

LA DEMEURE ENTOURÉE

Le corps de la montagne hésite à ma fenêtre :
« Comment peut-on entrer si l'on est la montagne,
Si l'on est en hauteur, avec roches, cailloux,
Un morceau de la Terre, altéré par le Ciel ? »
Le feuillage des bois entoure ma maison :
« Les bois ont-ils leur mot à dire là-dedans ?
Notre monde branchu, notre monde feuillu
Que peut-il dans la chambre où siège ce lit blanc,
Près de ce chandelier qui brûle par le haut,
Et devant cette fleur qui trempe dans un verre ?
Que peut-il pour cet homme et son bras replié,
Cette main écrivant entre ces quatre murs ?
Il ne nous a pas vus, il cherche au fond de lui
Des arbres différents qui comprennent sa langue ».
Et la rivière dit : « Je ne veux rien savoir,
Je coule pour moi seule et j'ignore les hommes.
Je ne suis jamais là où l'on croit me trouver
Et vais me devançant, crainte de m'attarder.
Tant pis pour tous ces gens qui s'en vont sur leurs jambes
Ils partent, et toujours reviennent sur leurs pas ».
Mais l'étoile se dit : « Je tremble au bout d'un fil,
Si nul ne pense à moi, je cesse d'exister ».

LE POIDS D'UNE JOURNÉE

*Solitude, tu viens armée d'êtres sans fin dans ma propre
    chambre :*
*Il pleut sur le manteau de celui-ci, il neige sur celui-là et
    cet autre est éclairé par le soleil de Juillet.*
Ils sortent de partout : « Ecoutez-moi ! Ecoutez-moi ! »
Et chacun voudrait en dire un peu plus que l'autre.
*Il en est qui cherchent un frère disparu, d'autres, leur
    maîtresse, leurs enfants.*
« Je ne puis rien pour vous ».
Ils ont tous un mot à dire avant de disparaître :
*« Ecoutez-moi, puisque je vous dis que je m'en irai aussitôt
    après ».*
*Ils me font signe de m'asseoir pour que l'entretien soit
    plus long.*
« Puisque je vous dis que je ne puis rien pour vous,
Fantômes pour les yeux et pour les oreilles ! »
*Il y a cet inconnu qui me demande pardon et disparaît sans
    que je connaisse son crime,*
*Cette jeune fille qui a traversé des bois qui ne sont pas
    de ce pays,*
*Cette vieille femme qui me demande conseil. « Conseil, à
    quel sujet ? »*
Elle ne veut rien ajouter et se retire indignée.

Maintenant, il n'y a plus dans la chambre que ma table
  allongée, mes livres, mes papiers.
Ma lampe éclaire une tête, des mains humaines,
Et mes lèvres se mettent à rêver pour leur propre compte
  comme des orphelines.

LES POISSONS

Mémoire des poissons dans les criques profondes,
Que puis-je faire ici de vos lents souvenirs,
Je ne sais rien de vous qu'un peu d'écume et d'ombre
Et qu'un jour, comme moi, il vous faudra mourir.

Alors que venez-vous interroger mes rêves
Comme si je pouvais vous être de secours ?
Allez en mer, laissez-moi sur ma terre sèche,
Nous ne sommes pas faits pour mélanger nos jours.

LA VILLE DES ANIMAUX

S'ouvre la porte, entre une biche,
Mais cela se passe très loin,
N'approchons pas de ce terrain
Evitons un sol évasif.

C'est la ville des animaux,
Ici les humains n'entrent guère.
Griffes de tigre, soies de porc
Brillent dans l'ombre, délibèrent.

N'essayons pas d'y pénétrer
Nous qui cachons plus d'une bête,
Poissons, iguanes, éperviers
Qui voudraient tous montrer la tête.

Nous en sortirions en traînant
Un air tigré, une nageoire,
Ou la trompe d'un éléphant
Qui nous demanderait à boire.

Notre âme nous serait ravie
Et la douceur de notre corps.
Il faudrait, toute notre vie,
Pleurer en nous un homme mort.

TOUJOURS SANS TITRE

N'approchez pas, le visage s'efface,
Il ne saurait vivre que loin de vous,
Ou tout au moins à distance choisie.
Et l'on n'entend qu'une voix appauvrie :
« Rien n'est pour moi, je veux dire pour nous,
Mais bien plutôt pour l'âme et son repos
Qui prennent tout et nous laissent sans feux,
Et sans amis au plus fort de l'hiver.
Ils sont partis, le triste avec le drôle
Et le tardif, le mou, le volontaire,
Laissant en nous cette ombre qui s'allonge
Et toujours prête à changer de mystère.
Tout s'y reporte et cherche une autre forme :
C'est la brebis, sa tête entre vos mains,
Elle devient devant vous une femme
Que vous aviez longuement oubliée,
Et c'est la nuit proche qui se ramasse
Pour venir boire à votre verre d'eau :
« Où est mon verre ? ah, je le croyais plein ».
C'est le papier qui de lui-même efface
Le mot qui vient toujours obscur pour lui
Et vous pensiez avoir longtemps écrit,
Il n'en resta que cette page blanche
Où nul ne lit, où chacun pense lire,
Et qui se donne à force de silence.

LUI SEUL

Si vous touchez sa main c'est bien sans le savoir,
Vous vous le rappelez mais sous un autre nom,
Au milieu de la nuit, au plus fort du sommeil,
Vous dites son vrai nom et le faites asseoir.

Un jour, on frappe et je devine que c'est lui
Qui s'en vient près de nous, à n'importe quelle heure,
Et vous le regardez avec un tel oubli
Qu'il s'en retourne au loin mais en laissant derrière

Une porte vivante et pâle comme lui.

ALTER EGO

Une souris s'échappe
(Ce n'en était pas une)
Une femme s'éveille
(Comment le savez-vous ?)
Et la porte qui grince
(On l'huila ce matin)
Près du mur de clôture
(Le mur n'existe plus)
Ah ! je ne puis rien dire
(Eh bien, vous vous tairez !)
Je ne puis pas bouger
(Vous marchez sur la route)
Où allons-nous ainsi ?
(C'est moi qui le demande)
Je suis seul sur la Terre
(Je suis là près de vous)
Peut-on être si seul
(Je le suis plus que vous,
Je vois votre visage
Nul ne m'a jamais vu).

NAUFRAGE

Une table tout près, une lampe très loin
Qui dans l'air irrité ne peuvent se rejoindre,
Et jusqu'à l'horizon une plage déserte.
Un homme à la mer lève un bras, crie : « Au secours ! »
Et l'écho lui répond : « Qu'entendez-vous par là ? »

Visages de la rue, quelle phrase indécise
Ecrivez-vous ainsi pour toujours l'effacer,
Et faut-il que toujours soit à recommencer
Ce que vous essayez de dire ou de mieux dire ?

LE MONDE EN NOUS

Chaque objet séparé de son bruit, de son poids,
Toujours dans sa couleur, sa raison et sa race,
Et juste ce qu'il faut de lumière, d'espace,
Pour que tout soit agile et content de son sort.
Et cela vit, respire et chante avec moi-même
— Les objets inhumains comme les familiers —
Et nourri de mon sang s'abrite à sa chaleur.
La montagne voisine un jour avec la lampe,
Laquelle luit, laquelle en moi est la plus grande ?
Ah ! je ne sais plus rien si je rouvre les yeux,
Ma science gît en moi derrière mes paupières
Et je n'en sais pas plus que mon sang ténébreux.

LE TEMPS D'UN PEU

Que voulez-vous que je fasse du monde
Puisque si tôt il m'en faudra partir.
Le temps d'un peu saluer à la ronde,
De regarder ce qui reste à finir,
Le temps de voir entrer une ou deux femmes
Et leur jeunesse où nous ne serons pas
Et c'est déjà l'affaire de nos âmes,
Le corps sera mort de son embarras.

VISITE DE LA NUIT

Terrasse ou balcon, je posai le pied
A la place exacte où l'on sait toute chose,

J'attendis longtemps, gêné par mon corps,
Il faisait grand jour et l'on approchait.

C'était bien la nuit convertie en femme,
Tremblante au soleil comme une perdrix,

Si peu faite encore à son enveloppe
Toute errante en soi, même dans son cœur.

Quand il m'arrivait de faire des signes
Elle regardait mais voyait ailleurs.

Je ne bougeais plus pour mieux la convaincre
Mais aucun silence ne lui parvenait.

Ses gestes obscurs comme ses murmures
Toujours me voulaient d'un autre côté.

Quand baissa le jour, d'un pas très humain
A jamais déçu, elle s'éloigna.

Elle rejoignit au bout de la rue
Son vertige ardent, sa forme espacée.

Comme chaque nuit, elle s'étoila
De ses milliers d'yeux dont aucun ne voit.

Et depuis ce jour je cède à mes ombres.

Attendre que la Nuit, toujours reconnaissable
A sa grande altitude où n'atteint pas le vent,
Mais le malheur des hommes,
Vienne allumer ses feux intimes et tremblants
Et dépose sans bruit ses barques de pêcheurs,
Ses lanternes de bord que le ciel a bercées,
Ses filets étoilés dans notre âme élargie,
Attendre qu'elle trouve en nous sa confidente
Grâce à mille reflets et secrets mouvements
Et qu'elle nous attire à ses mains de fourrure,
Nous les enfants perdus maltraités par le jour
Et la grande lumière,
Ramassés par la Nuit poreuse et pénétrante,
Plus sûre qu'un lit sûr sous un toit familier.
C'est l'abri murmurant qui nous tient compagnie,
C'est la couche où poser la tête qui déjà
Commence à graviter,
A s'étoiler en nous, à trouver son chemin.

LA FABLE DU MONDE

(1938)

à Pilar.

LE CHAOS DE LA CRÉATION

(DIEU PARLE)

[annotation manuscrite : Dieu comme balance entre le chaos et la création, la cause causant]

Je suis dans la noirceur et j'entends ma puissance
Faire un bruit sourd, battant l'espace rapproché ;
Alentour un épais va-et-vient de distances
Me flaire, me redoute et demeure caché ;
Je sens tout se creuser, ignorant de ses bornes,
Et puis tout se hérisse en ses aspérités.
Serais-je menacé par les flèches sans formes
De fantômes durcis dans de longs cauchemars.
Mais non, tout se précise en moi-même, je gagne !
Je suis déjà la plaine au delà du hasard
Et, haussant tout ce noir, je deviens la montagne
Et la neige nouvelle attendant sa couleur.
Ah que ne sombre point la plus grande pâleur
La cime qui m'ignore et déjà m'accompagne
Et que je cesse enfin d'être mon inconnu.
Que la lumière soit...

[annotation manuscrite : la distance]

Maintenant que j'ai mis partout de la lumière
Il me faudra pousser le ciel loin de la terre,
Et pour être bien sûr d'avoir tout mon espace
Je ferai que le vent et les nuages passent
Ainsi que les oiseaux qui viennent et qui vont
Vérifiant les airs, la surface, le fond.

[annotation manuscrite : ton familier mais il se doit. cf va-et-v.]

Tout me supplie et veut une forme précise,
Tout a hâte de respirer dans sa franchise
Et voudrait se former dès que je le prévois,
Et ma tête foisonne, et mon être bourdonne
De milliers de silences, tous différents,
Ce sont les voix de ceux qui n'en ont pas encore
Et quémandent un nom pour aller de l'avant.
Chacun son tour, le temps viendra pour tous d'éclore

Je vois clair, je vois noir et non pas que j'hésite,
L'un fera suite à l'autre et les deux si profonds
Que dans mon univers ils seront sans réplique
Et ce sera le jour et la nuit, l'horizon.
Je vois bleu et frangé de blanchissants détours,
Cela fuit sous mes yeux et si j'y trempe un doigt
C'est salé : cela va très loin et fait le tour
De la Terre et c'est plein d'écailleux très adroits,
C'est ce qu'on nommera la mer et les poissons,
A l'homme de trouver comment l'on va dessus,
Sans se laisser périr attiré par le fond
Ni le vent, grand pousseur de vagues et de nues.

Je ne sais maintenant ce que je porte en moi,
Mes yeux font de l'obscur et je cherche à mieux voir,
J'ajuste mon regard, la chose se précise,
Elle n'a qu'un seul corps, une espèce de tronc,
Mais le ciel dans le haut en branches le divise
Porteuses d'équilibre et de confusion,
Et je songe au plaisir de s'étendre dessous.
Arbres, venez à moi puisque je pense à vous !
Vous vous accrocherez à la terre fertile
Et ne ressemblerez à l'homme que par l'ombre,
Vous qui m'ignorerez de toutes vos racines
Et ne saurez de moi que le vol des colombes.

Parfois réfléchissant à ce qui va venir
Je vois venir à moi quelque vieux souvenir
Devenu plante, ou pierre ou fraîcheur qui se pose,
Même ce que je fis, pensant à autre chose.

Cela tombe de moi comme un fruit oublié
Mais toujours reconnu et jamais renié.
Soudain je vois petit, cela porte un fardeau,
C'est noir, c'est courageux, l'une précédant l'autre,
Et le temps d'y penser, c'est déjà la fourmi ;
Va ton chemin, je viens de te donner la vie.

Ivresse de créer, de tout voir aboutir,
De n'avoir pas à commencer et de finir,
De délivrer soudain les fleuves et les pierres,
Les cœurs battants, les yeux, les âmes prisonnières.
Tout m'échappe, les flots et les terres en vrac, *loose*
Mélange de courants, de vivantes folies,
Mais un de mes regards rend le calme d'un lac,
Préservant en dessous ce qu'il y faut de vie.
Que rien n'ait peur de vivre au sortir de mon corps,
Ni les petits poissons menacés dans leur fuite,
Ni les grands dévorés à leur tour par la mort
Ni tout ce qui remue et doute au fond du sort !
Tout me revient, trouvant en moi de la justice,
Prêt à se reformer dans mon clair précipice.

Assez pour aujourd'hui, je suis las de créer,
Et je veux seulement dormir pour qu'il y ait
Beaucoup d'herbe, beaucoup d'herbages sur la terre,
De la broussaille qui ressemble à du sommeil,
A l'image de moi quand je reposerai.
Je pense même avoir quelque idée en dormant
Qui franchira le rêve en sa hâte de vivre
Et ce sera la chèvre avec son bêlement,
Ou le poisson volant, ou quelque autre surprise,
Comme hier, quand je fus réveillé par la brise
Qui me halait à soi d'un fertile sommeil
Inquiète de voir ce que je pensais d'elle.

l'amour de ce qu'il a fait

DIEU PENSE A L'HOMME

Il faudra bien qu'il me ressemble,
Je ne sais encore comment,
Moi qui suis les mondes ensemble
Avec chacun de leurs, moments.
Je le veux séparer du reste
Et me l'isoler dans les bras,
Je voudrais adopter ses gestes
Avant qu'il soit ce qu'il sera,
Je le devine à sa fenêtre
Mais la maison n'existe pas.
Je le tâte, je le tâtonne,
Je le forme sans le vouloir
Je me le donne, je me l'ôte,
Que je suis pressé de le voir !
Je le garde, je le retarde
Afin de le mieux concevoir.
Tantôt, informe, tu t'éloignes
Tu boites, au fond de la nuit,
Ou tu m'escalades, grandi,
Jusqu'à devenir un géant.
Moi que nul regard ne contrôle
Je te veux visible de loin,
Moi qui suis silence sans fin
Je te donnerai la parole,

Moi qui ne peux pas me poser
Je te veux debout sur tes pieds,
Moi qui suis partout à la fois
Je te veux mettre en un endroit,
Moi qui suis plus seul dans ma fable
Qu'un agneau perdu dans les bois,
Moi qui ne mange ni ne bois
Je veux t'asseoir à une table,
Une femme en face de toi,
Moi qui suis sans cesse suprême
Toujours ignorant le loisir,
Qui n'en peux mais avec moi-même
Puisque je ne peux pas finir,
Je veux que tu sois périssable,
Tu seras mortel, mon petit,
Je te coucherai dans le lit
De la terre où se fort les arbres.

DIEU CRÉE L'HOMME

Mes doigts cernant leur rêve avec bravoure,
Environnés par un vide très lourd,
Qui va cédant son terrain pas à pas,
Mes doigts à qui l'on ne s'oppose pas,
Toujours comblant d'avares précipices,
Formant la chair prête à tant de délices,
Si différents à mesure qu'ils vont,
Sentant un œil se faire sous le front,
Donnant sous eux ce qu'il faut de lumière
Pour héberger les formes de la terre,
Prenant la tête et vous la modelant
Pour qu'elle soit pensante à tout moment
Et devenant plus légers pour la tempe,
Mes doigts donnant une lueur de lampe
A cette peau où monte une chaleur.
Laisse ma main s'attarder sur ton cœur,
S'y oublier pensant à trop de choses
Comme un rosier chancelant sous les roses.
Silence, Dieu fait l'homme pour toujours,
Il le devine, il en aime le tour.
Place pour l'ordre ou bien pour la folie,
Place pour tous les souffles de la vie.
O mon petit, o mon parachevé,
Regarde-moi, tu pourras me braver.

Je t'ai donné l'amour avec la haine,
Tu choisiras puisant dans l'âme pleine,
Beau sac où sont savamment mélangés
Des sentiments dont tu pourras changer,
Et je te dis : sois un dieu, sois un homme,
Toi qui dormis en moi un si long somme.

DIEU CRÉE LA FEMME

Pense aux plages, pense à la mer,
Au lisse du ciel, aux nuages,
A tout cela devenant chair
Et dans le meilleur de son âge,
Pense aux tendres bêtes des bois,
Pense à leur peur sur tes épaules,
Aux sources que tu ne peux voir
Et dont le murmure t'isole,
Pense à tes plus profonds soupirs,
Ils deviendront un seul désir,
A ce dont tu chéris l'image,
Tu l'aimeras bien davantage.
Ce qui était beaucoup trop loin
Pour le parfum ou le reproche,
Tu vas voir comme il se rapproche
Se faisant femme jusqu'au lien,
Ce dont rêvaient tes yeux, ta bouche,
Tu vas voir comme tu le touches.
Elle aura des mains comme toi
Et pourtant combien différentes,
Elle aura des yeux comme toi
Et pourtant rien ne leur ressemble.
Elle ne te sera jamais
Complètement familière,

Tu voudras la renouveler
De mille confuses manières.
Voilà, tu peux te retourner
C'est la femme que je te donne
Mais c'est à toi de la nommer,
Elle approche de ta personne.

DIEU SE SOUVIENT DE SON PREMIER ARBRE

C'était lors de mon premier arbre,
J'avais beau le sentir en moi
Il me surprit par tant de branches,
Il était arbre mille fois.
Moi qui suis tout ce que je forme
Je ne me savais pas feuillu,
Voilà que je donnais de l'ombre
Et j'avais des oiseaux dessus.
Je cachais ma sève divine
Dans ce fût qui montait au ciel
Mais j'étais pris par la racine
Comme à un piège naturel.
C'était lors de mon premier arbre,
L'homme s'assit sous le feuillage
Si tendre d'être si nouveau.
Était-ce un chêne ou bien un orme
C'est loin et je ne sais pas trop
Mais je sais bien qu'il plut à l'homme
Qui s'endormit les yeux en joie
Pour y rêver d'un petit bois.
Alors au sortir de son somme
D'un coup je fis une forêt
De grands arbres nés centenaires
Et trois cents cerfs la parcouraient
Avec leurs biches déjà mères.

Ils croyaient depuis très longtemps
L'habiter et la reconnaître
Les six-cors et leurs bramements
Non loin de faons encore à naître.
Ils avaient, à peine jaillis,
Plus qu'il ne fallait d'espérance
Ils étaient lourds de souvenirs
Qui dans les miens prenaient naissance.
D'un coup je fis chênes, sapins,
Beaucoup d'écureuils pour les cimes,
L'enfant qui cherche son chemin
Et le bûcheron qui l'indique,
Je cachai de mon mieux le ciel
Pour ses distances malaisées
Mais je le redonnai pour tel
Dans les oiseaux et la rosée.

LE PREMIER CHIEN

C'est un chien abrupt dans sa race,
C'est le premier de tous les chiens,
Première fois que dans l'espace
Aboya ce qui n'était rien.
Il est tous les chiens à venir
Et les voudrait mener à bien,
Il est l'angoisse qui soupire
Tout en n'étant qu'un pauvre chien.
Il cache en lui tant de miracles
Qu'il pose un peu craintif les pattes
Sur le sol qui le porte au loin,
Et si multiple qu'il en tremble,
Si fou de tout ce qu'il contient
Qu'on l'aperçoit sur une route
De plaine comme un chien courant,
Qu'on le retrouve saint-bernard
Sur le versant d'une montagne,
Près des moutons chien de berger
Et près des hommes chien de garde,
Il est toujours là qui regarde
Pour ne pas être un étranger.

PREMIERS JOURS DU MONDE

(UN ARBRE PARLE)

Approche-toi, cheval,
Regarde le taureau,
Vous êtes tous les deux
Usagers des naseaux,
Vos racines volantes
Vous laissent galoper,
Approche-toi, cheval,
Moi, je ne puis bouger.
J'offre de l'ombre autour
D'un, immobile pied ».
Ainsi l'arbre parlait
Du fond de son silence,
Comme parlent les blés,
Comme chantent les plantes.
L'herbe ne disait rien.
Elle se savait faite
Pour être piétinée,
Pour être ruminée
Et pour aller, d'un trait,
Dans le ventre des bêtes.
La fourmi s'avançait,
(Elle est née en marchant),

Avant même de naître,
Elle n'a pas le temps.
Et chacun interroge
Du regard son voisin,
Trouvant dignes d'éloges
Le proche et les lointains.
Et partout Dieu s'efface
Pour ne pas déranger,
Et lui qui ne fait pas
Les choses à moitié,
Quitte aussi la mémoire
De ceux qu'il a créés.
Fier de son appétit,
Chacun se croit le fils
De son seul mouvement,
Et l'un cache sa queue,
L'autre s'en bat les flancs,
Un autre tend l'oreille
Ou bien montre les dents,
L'un se lèche la patte,
L'autre s'arrache un poil,
Un autre qui se gratte
Jusqu'à se faire mal,
Et celui-là qui tousse
Pour sentir son gosier,
Cet autre qui retrousse
Sa babine à moitié,
Celui-là qui sommeille
Pour voir comment l'on fait
Celui-ci se réveille
Et dort à volonté.
Tous sentent le dedans
Qui leur dit : « Je suis là,
Tu peux être content
De ta sereine peau,
Qui, sous l'immense ciel,
Sait te garder au chaud,
Et de ce grain de sel
Au bout de ton museau ».

PRIÈRE A L'INCONNU

Voilà que je me surprends à t'adresser la parole,
Mon Dieu, moi qui ne sais encore si tu existes,
Et ne comprends pas la langue de tes églises chuchotantes,
Je regarde les autels, la voûte de ta maison
Comme qui dit simplement : « Voilà du bois, de la pierre,
Voilà des colonnes romanes, il manque le nez à ce saint
Et au dedans comme au dehors il y a la détresse humaine ».
Je baisse les yeux sans pouvoir m'agenouiller pendant la
* messe*
Comme si je laissais passer l'orage au-dessus de ma tête
Et je ne puis m'empêcher de penser à autre chose.
Hélas j'aurai passé ma vie à penser à autre chose,
Cette autre chose c'est encor moi, c'est peut-être mon vrai
* moi-même.*
C'est là que je me réfugie, c'est peut-être là que tu es,
Je n'aurai jamais vécu que dans ces lointains attirants.
Le moment présent est un cadeau dont je n'ai pas su
* profiter,*
Je n'en connais pas bien l'usage, je le tourne dans tous
* les sens,*
Sans savoir faire marcher sa mécanique difficile.
Mon Dieu, je ne crois pas en toi, je voudrais te parler tout
* de même ;*
J'ai bien parlé aux étoiles bien que je les sache sans vie,
Aux plus humbles des animaux quand je les savais sans
* réponse,*

Aux arbres qui, sans le vent, seraient muets comme la tombe.
Je me suis parlé à moi-même quand je ne sais pas bien
  si j'existe.
Je ne sais si tu entends nos prières à nous les hommes,
Je ne sais si tu as envie de les écouter,
Si tu as comme nous un cœur qui est toujours sur le qui-
  vive,
Et des oreilles ouvertes aux nouvelles les plus différentes.
Je ne sais pas si tu aimes à regarder par ici,
Pourtant je voudrais te remettre en mémoire la planète
  Terre,
Avec ses fleurs, ses cailloux, ses jardins et ses maisons.
Avec tous les autres et nous qui savons bien que nous
  souffrons.
Je veux t'adresser sans tarder ces humbles paroles
  humaines
Parce qu'il faut que chacun tente à présent tout
  l'impossible,
Même si tu n'es qu'un souffle d'il y a des milliers d'années,
Une grande vitesse acquise, une durable mélancolie
Qui ferait tourner encor les sphères dans leur mélodie.
Je voudrais, mon Dieu sans visage et peut-être sans
  espérance,
Attirer ton attention, parmi tant de ciels, vagabonde,
Sur les hommes qui n'ont plus de repos sur la planète.
Écoute-moi, cela presse, ils vont tous se décourager
Et l'on ne va plus reconnaître les jeunes parmi les âgés.
Chaque matin ils se demandent si la tuerie va commencer,
De tous côtés l'on prépare de bizarres distributeurs
De sang, de plaintes et de larmes,
L'on se demande si les blés ne cachent pas déjà des fusils.
Le temps serait-il passé où tu t'occupais des hommes,
T'appelle-t-on dans d'autres mondes, médecin en con-
  sultation,
Ne sachant où donner de la tête, laissant mourir sa
  clientèle.
Écoute-moi, je ne suis qu'un homme parmi tant d'autres,
L'âme se plaît dans notre corps, ne demande pas à s'enfuir
Dans un éclatement de bombe,
Elle est pour nous une caresse, une secrète flatterie.

Laisse-nous respirer encor sans songer aux nouveaux
  poisons,
Laisse-nous regarder nos enfants sans penser tout le temps
  à la mort.
Nous n'avons pas du tout le cœur aux batailles, aux
  généraux.
Laisse-nous notre va-et-vient comme un troupeau dans ses
  sonnailles,
Une odeur de lait se mêlant à l'odeur de l'herbe grasse
Ah! si tu existes, mon Dieu, regarde de notre côté,
Viens te délasser parmi nous, la Terre est belle avec ses
  arbres,
Ses fleuves et ses étangs, si belle que l'on dirait
Que tu la regrettes un peu.
Mon Dieu, ne va pas faire encore la sourde oreille,
Et ne va pas m'en vouloir si nous sommes à tu et à toi,
Si je te parle avec tant d'abrupte simplicité,
Je croirais moins qu'en tout autre en un Dieu qui terrorise ;
Plus que par la foudre tu sais t'exprimer par les brins
  d'herbe,
Et par les yeux des ruisseaux et par les jeux des enfants,
Ce qui n'empêche pas les mers et les chaînes de montagnes.
Tu ne peux pas m'en vouloir de dire ce que je pense,
De réfléchir comme je peux sur l'homme et sur son
  existence,
Avec la franchise de la Terre et des diverses saisons
(Et peut-être de toi-même dont j'ignorerais les leçons).
Je ne suis pas sans excuses, veuille accepter mes pauvres
  ruses,
Tant de choses se préparent sournoisement contre nous.
Quoique nous fassions, nous craignons d'être pris au
  dépourvu,
Et d'être comme le taureau qui ne comprend pas ce qui
  se passe,
Le mène-t-on à l'abattoir, il ne sait où il va comme ça,
Et juste avant de recevoir le coup de mort sur le front
Il se répète qu'il a faim et brouterait résolument,
Mais qu'est-ce qu'ils ont ce matin avec leur tablier plein
  de sang
A vouloir tous s'occuper de lui ?

TRISTESSE DE DIEU

(DIEU PARLE)

Je vous vois aller et venir sur le tremblement de la Terre
Comme aux premiers jours du monde, mais grande est la
       différence,
Mon œuvre n'est plus en moi, je vous l'ai toute donnée.
Hommes, mes bien-aimés, je ne puis rien dans vos mal-
       heurs,
Je n'ai pu que vous donner votre courage et les larmes ;
C'est la preuve chaleureuse de l'existence de Dieu.
L'humidité de votre âme, c'est ce qui vous reste de moi.
Je n'ai rien pu faire d'autre.
Je ne puis rien pour la mère dont va s'éteindre le fils
Sinon vous faire allumer, chandelles de l'espérance.
S'il n'en était pas ainsi, est-ce que vous connaîtriez,
Petits lits mal défendus, la paralysie des enfants ?
Je suis coupé de mon œuvre,
Ce qui est fini est lointain et s'éloigne chaque jour.
Quand la source descend du mont comment revenir là-
       dessus ?
Je ne sais pas plus vous parler qu'un potier ne parle à son
       pot,
Des deux il en est un de sourd, l'autre muet devant son
       œuvre

Et je vous vois avancer vers d'aveuglants précipices
Sans pouvoir vous les nommer,
Et je ne peux vous souffler comment il faudrait s'y prendre,
Il faut vous en tirer tout seuls comme des orphelins dans
 la neige.
Je ne puis rien pour vous, hélas si je me répète
C'est à force d'en souffrir.
Je suis un souvenir qui descend, vous vivez dans un
 souvenir,
L'espoir qui gravit vos collines, vous vivez dans une
 espérance.
Secoué par les prières et les blasphèmes des hommes,
Je suis partout à la fois et ne peux pas me montrer,
Sans bouger je déambule et je vais de ciel en ciel,
Je suis l'errant en soi-même, le foisonnant solitaire,
Habitué des lointains, je suis très loin de moi-même,
Je m'égare au fond de moi comme un enfant dans les bois,
Je m'appelle, je me hale, je me tire vers mon centre.
Homme, si je t'ai créé, c'est pour y voir un peu clair,
Et pour vivre dans un corps, moi qui n'ai mains ni visage.
Je veux te remercier de faire avec sérieux
Tout ce qui n'aura qu'un temps sur la Terre bien-aimée,
O mon enfant, mon chéri, ô courage de ton Dieu,
Mon fils qui t'en es allé courir le monde à ma place
A l'avant-garde de moi dans ton corps si vulnérable
Avec sa grande misère. Pas un petit coin de peau
Où ne puisse se former la profonde pourriture.
Chacun de vous sait faire un mort sans avoir eu besoin
 d'apprendre,
Un mort parfait qu'on peut tourner et retourner dans tous
 les sens,
Où il n'y a rien à redire.
Dieu vous survit, lui seul survit entouré par un grand
 massacre
D'hommes, de femmes et d'enfants.
Même vivants, vous mourez un peu continuellement,
Arrangez-vous avec la vie, avec vos tremblantes amours.
Vous avez un cerveau, des doigts pour faire le monde
 à votre goût,
Vous avez des facilités pour faire vivre la raison

Et la folie en votre cage,
Vous avez tous les animaux qui forment la Création,
Vous pouvez courir et nager comme le chien et le poisson,
Avancer comme le tigre ou comme l'agneau de huit jours,
Vous pouvez vous donner la mort comme le renne, le
*   scorpion,*
Et moi je reste l'invisible, l'introuvable sur la Terre,
Ayez pitié de votre Dieu qui n'a pas su vous rendre
*   heureux,*
Petites parcelles de moi, ô palpitantes étincelles,
Je ne vous offre qu'un brasier où vous retrouverez du feu.

O DIEU TRÈS ATTÉNUÉ

O Dieu très atténué
Des bouts de bois et des feuilles,
Dieu petit et séparé,
On te piétine, on te cueille
Avec les herbes des prés.
Dieu des légères fumées,
Dieu des portes mal fermées
On les ouvrit tant de fois
Que l'air traverse le bois.
Et toi, dans l'humaine écorce,
Dieu de qui n'a plus la force
D'avoir un Dieu résistant
Comme celui qu'abandonne
Par ses blessures le sang,
Dieu qui ne remplis sa chose
Qu'à moitié comme à regret,
Dieu sur le point de quitter
Le cœur d'un homme qui n'ose
Le retenir, le goûter,
Tu t'absentes, tu reviens,
Tu es toujours en voyage.
Heureux celui qui retient
Un bon Dieu comme un bon vin
Qui prend avec lui de l'âge.

NOCTURNE EN PLEIN JOUR

Quand dorment les soleils sous nos humbles manteaux
Dans l'univers obscur qui forme notre corps,
Les nerfs qui voient en nous ce que nos yeux ignorent
Nous précèdent au fond de notre chair plus lente,
Ils peuplent nos lointains de leurs herbes luisantes
Arrachant à la chair de tremblantes aurores.

C'est le monde où l'espace est fait de notre sang ;
Des oiseaux teints de rouge et toujours renaissants
Ont du mal à voler près du cœur qui les mène
Et ne peuvent s'en éloigner qu'en périssant,
Car c'est en nous que sont les plus cruelles plaines
Où l'on périt de soif près de fausses fontaines.

Et nous allons ainsi, parmi les autres hommes,
Les uns parlant parfois à l'oreille des autres.

Quand le flux de la nuit me coule sur les lèvres
Me couvrant le menton avec un sang tout noir,
Lentement soulevé par le bœuf du sommeil,
Je sens tourner en moi l'axe de mon regard.
J'entre dans le champ clos de ma chair attentive
Au pays qui respire et qui bat sous ma peau.
Mes os sont les rochers de ces plaines rétives
Où pousse une herbe rare appelée arlisane,
Et comme un voyageur qui arrive de loin
Je découvre en intrus mon paysage humain.

Et la folie en votre cage,
Vous avez tous les animaux qui forment la Création,
Vous pouvez courir et nager comme le chien et le poisson,
Avancer comme le tigre ou comme l'agneau de huit jours,
Vous pouvez vous donner la mort comme le renne, le
  scorpion,
Et moi je reste l'invisible, l'introuvable sur la Terre,
Ayez pitié de votre Dieu qui n'a pas su vous rendre
  heureux,
Petites parcelles de moi, ô palpitantes étincelles,
Je ne vous offre qu'un brasier où vous retrouverez du feu.

LE CORPS

*Ici l'univers est à l'abri dans la profonde température de
     l'homme*
Et les étoiles délicates avancent de leurs pas célestes
Dans l'obscurité qui fait loi dès que la peau est franchie,
Ici tout s'accompagne des pas silencieux de notre sang
*Et de secrètes avalanches qui ne font aucun bruit dans nos
          parages,*
Ici le contenu est tellement plus grand
Que le corps à l'étroit, le triste contenant...
*Mais cela n'empêche pas nos humbles mains de tous les
     jours*
*De toucher les différents points de notre corps qui loge les
     astres,*
*Avec les distances interstellaires en nous fidèlement res-
     pectées.*
*Comme des géants infinis réduits à la petitesse par le corps
     humain, où il nous faut tenir tant bien que mal,*
*Nous passons les uns près des autres, cachant mal nos
     étoiles, nos vertiges,*
*Qui se reflètent dans nos yeux, seules fêlures de notre
     peau.*
*Et nous sommes toujours sous le coup de cette immensité
     intérieure*
Même quand notre monde, frappé de doute,

*Recule en nous rapidement jusqu'à devenir minuscule et
s'effacer,*
Notre cœur ne battant plus que pour sa pelure de chair,
*Réduits que nous sommes alors à l'extrême nudité de nos
organes,*
Ces bêtes à l'abandon dans leur sanglante écurie.

Encore frissonnant
Sous la peau des ténèbres,
Tous les matins je dois
Recomposer un homme
Avec tout ce mélange
De mes jours précédents
Et le peu qui me reste
De mes jours à venir.
Me voici tout entier,
Je vais vers la fenêtre.
Lumière de ce jour,
Je viens du fond des temps,
Respecte avec douceur
Mes minutes obscures,
Épargne encore un peu
Ce que j'ai de nocturne,
D'étoilé en dedans
Et de prêt à mourir
Sous le soleil montant
Qui ne sait que grandir.

« Beau monstre de la nuit, palpitant de ténèbres,
Vous montrez un museau humide d'outre-ciel,
Vous approchez de moi, vous me tendez la patte
Et vous la retirez comme pris d'un soupçon.
Pourtant je suis l'ami de vos gestes obscurs,
Mes yeux touchent le fond de vos sourdes fourrures.
Ne verrez-vous en moi un frère ténébreux
Dans ce monde où je suis bourgeois de l'autre monde,
Gardant par devers moi ma plus claire chanson.
Allez, je sais aussi les affres du silence
Avec mon cœur hâtif, usé de patience,
Qui frappe sans réponse aux portes de la mort.
— Mais la mort te répond par des intermittences
Quand ton cœur effrayé se cogne à la cloison,
Et tu n'es que d'un monde où l'on craint de mourir ».
Et les yeux dans les yeux, à petits reculons,
Le monstre s'éloigna dans l'ombre téméraire,
Et le ciel comme à l'ordinaire s'étoila.

Guerrier de l'obscur,
Vous vous étoilez,
Prenez garde à vous,
Vos yeux vont brûler !
Vous ne pouvez rien
Sans obscurité.
Il faut une armure
Prise dans la nuit
Pour que se précise
Votre âme secrète,
Ombre militaire,
Toujours ennemie.
Que restera-t-il
Du meilleur de vous
Lorsque vous serez
Une étoile aveugle
Sans autorité,
Une étoile errante,
La tête et les pieds ?
Il faut revenir
A votre ténèbre
Il faut retrouver
La pulsation
De vos grosses fièvres,
C'est votre façon
De vous étoiler.

Je sors de la nuit plein d'éclaboussures,
J'ai bien bataillé dans mon lit peureux,
J'en ai le corps plein de taches, de feux,
Sous les draps enflant encor leur voilure.
Porté dans l'espace et tout mélangé
Au ciel noir tordu de mille lumières,
J'étais à cheval et j'étais couché,
Et seul contre tous et criblé de pierres.
J'avançais toujours, le bois de mon lit
Faisait bouclier, me servait d'armure.
Mais le jour parut et je tournai bride
Sans qu'il y ait eu vainqueur ni vaincu.

L'obscurité me désaltère,
Elle porte de si beaux fruits
Plus mûrs que tous ceux de la terre,
J'aime les pêches de la nuit,
Sentir couler au fond de l'âme
Ce jus qui vient du fond des temps
Et laisse sans discernement
Comme après le vin ou la femme.

Obscurité non seulement
Du ciel mais de l'aveuglement.
Mon sang noircit d'un sombre éclat
A gros bouillons au fond de moi.
L'âme au loin dans tout son recul
S'étoile à de grandes distances
Avec la même confiance
Du ciel après le crépuscule.

O petits enfants dans la nuit
Sous votre capuchon épais
Vous comprenez bien ce que c'est,
A demi mots on se saisit,
Est-ce le maternel tombeau
Vivant dont vous vous souvenez,
Tout ce qui nous a précédés
Ou ce qui fait encor défaut ?

Morts, je demande un coup de main
Pour comprendre tout ce qui vient,
Mangeons ensemble les raisins
De la grande treille nocturne
Et retenons-en bien le grain
Pour le faire germer en nous.
Encore, encore de la nuit
Au fond des houles taciturnes.

Nous irons au loin, nous irons,
Nous nous immobiliserons
Dans la bonace inévitable
Et nous mangerons à la table
Où l'on n'a pas besoin d'y voir
Où les mets entrent dans la bouche
Sans que nos pauvres mains les touchent,
Où l'on ignore le sanglot
Sous la bannière du tombeau.

Je ne crois plus à la clarté
De l'après-mort mais à du noir
Qui gagne encore sur le noir
Auquel j'étais habitué.
Ah ! par avance taisons-nous
Afin d'être un peu préparés
Au grand silence fédéré
Entre les étoiles et nous.

Dans cette grande maison que personne ne connaît
Avec sa façade, ses murs qui restent à mi-chemin
Entre les pierres et l'homme,
Avec cet air qui l'entoure et toujours sur le point de
    palpiter,
Avec sa secrète vie qui fait battre une fenêtre,
Ou bien la couvre de larmes,
Dans cette grande maison nuit et jour luit une lampe,
Elle ne luit pour personne
Comme s'il n'y avait pas d'hommes sur la Terre,
Ou si le monde était déjà distancé par l'espérance.
Et quand je veux aller très vite pour surprendre la lumière
Les jambes s'égarent sous moi
Et mon cœur un court instant
Connaît les glaces éternelles.

Mais peut-être qu'un jour la lampe
Prise enfin de mouvement comme la glace au dégel
Viendra luire d'elle-même auprès de moi pour montrer
A mon âme sa couleur
A mon esprit son ardeur
Et leurs formes véritables.

En attendant il me faut vivre sans prendre ombrage de
    tant d'ombre.
Ce qu'on appelle bruit ailleurs
Ici n'est plus que du silence,
Ce qu'on appelle mouvement

Est la patience d'un cœur,
Ce qu'on appelle vérité
Un homme à son corps enchaîné,
Et ce qu'on appelle douceur
Ah ! que voulez-vous que ce soit ?

Je suis seul sur l'océan
Et je monte à une échelle
Toute droite sur les flots,
Me passant parfois les mains
Sur l'inquiète figure
Pour m'assurer que c'est moi
Qui monte, c'est toujours moi.
Des échelons tout nouveaux
Me mettent plus près du ciel,
Autant que faire se peut
S'il ne s'agit que d'un homme.
Ah ! je commence à sentir
Une très grande fatigue,
Moi qui ne peux pas renaître
Sur l'échelle renaissante.
Tomberai-je avec ces mains
Qui me servent à comprendre
Encore plus qu'à saisir ?
Je tombe ah ! je suis tombé
Je deviens de l'eau qui bouge
Puis de l'eau qui a bougé,
Ne cherchez plus le poète
Ni même le naufragé.

Rien qu'un cri différé qui perce sous le cœur
Et je réveille en moi des êtres endormis,
Un à un, comme dans un dortoir sans limites,
Tous, dans leurs sentiments d'âges antérieurs,
Frêles, mais décidés à me prêter main forte.
Je vais, je viens, je les appelle et les exhorte,
Les hommes, les enfants, les vieillards et les femmes,
La foule entière et sans bigarrures de l'âme
Qui tire sa couleur de l'iris de nos yeux
Et n'a droit de regard qu'à travers nos pupilles.
Oh ! population de gens qui vont et viennent.
Habitants délicats des forêts de nous-mêmes,
Toujours à la merci du moindre coup de vent
Et toujours quand il est passé, se redressant.
Voilà que lentement nous nous mettons en marche,
Une arche d'hommes remontant aux patriarches
Et lorsque l'on nous voit on distingue un seul homme
Qui s'avance et fait face et répond pour les autres.
Se peut-il qu'il périsse alors que l'équipage
A survécu à tant de vents et de mirages.

La Lenteur autour de moi
Met son filet sur les meubles
Emprisonnant la lumière
Et les objets familiers.
Et le Temps, jambes croisées,
Me regarde dans les yeux
Et quelquefois il se dresse
Pour me voir d'un peu plus près,
Puis il retourne à sa place
Comme un prince satisfait.
Et voici dans tout mon corps
Le Sentiment de la Vie,
Blanches et rouges fourmis
Composant un être humain.
Et l'Espace autour de moi
Où chacun trouve sa place
Depuis les hautes étoiles
Jusqu'à ceux qui les regardent.
Et chaque jour que j'endure
Sous mes ombreuses pensées
Je vis parmi ces figures
Comme entre des Pyramides
Autour de moi étagées.

Nuit en moi, nuit au dehors,
Elles risquent leurs étoiles,
Les mêlant sans le savoir.
Et je fais force de rames
Entre ces nuits coutumières,
Puis je m'arrête et regarde.
Comme je me vois de loin !
Je ne suis qu'un frêle point
Qui bat vite et qui respire
Sur l'eau profonde entourante.
La nuit me tâte le corps
Et me dit de bonne prise.
Mais laquelle des deux nuits,
Du dehors ou du dedans ?
L'ombre est une et circulante,
Le ciel, le sang ne font qu'un.
Depuis longtemps disparu,
Je discerne mon sillage
A grande peine étoilé.

AUTRES POÈMES

LETTRE A L'ÉTOILE

Tu es de celles qui savent
Lire par dessus l'épaule
Je n'ai même pas besoin
Pour toi, de chercher mes mots,
Depuis longtemps ils attendent,
A l'ombre de mon silence
Derrière les lèvres closes
Et les distances moroses
A force d'être si grandes.
Mais, vois, rien ne les dénonce,
Nous ne sommes séparés
Par fleuves ni par montagnes,
Ni par un bout de campagne,
Ni par un seul grain de blé.
Rien n'arrête mon regard
Qui te trouve dans ton gîte
Plus vite que la lumière
Ne descend du haut du ciel
Et tu peux me reconnaître
A la luisante pensée
Qui parmi tant d'autres hommes

Élève à toi toute droite
Sa perspicace fumée.
Mais c'est le jour que je t'aime
Quand tu doutes de ta vie
Et que tu te réfugies
Aux profondeurs de moi-même
Comme dans une autre nuit
Moins froide, moins inhumaine.
Ah sans doute me trompé-je
Et vois-je mal ce qui est.
Tu n'auras jamais douté,
Toi si fixe et résistante
Et brillante de durée,
Sans nul besoin de refuge
Lorsque la voûte du jour
A mon regard t'a celée,
Toi, si hautaine et distraite,
Dès que le jour est tombé
Et moi qui viens et qui vais
D'une allure passagère
Sur des jambes inquiètes,
Tous les deux faits d'une étoffe
Cruellement différente
Qui me fait baisser la tête
Et m'enferme dans ma chambre.
Mais tu as tort de sourire
Car je n'en ai nulle envie,
Tu devrais pourtant comprendre
Puisque tu es mon amie.

L'ENFANT ET LES ESCALIERS

Toi que j'entends courir dans les escaliers de la maison
Et qui me caches ton visage et même le reste du corps,
Lorsque je me montre à la rampe,
N'es-tu pas mon enfance qui fréquente les lieux de ma
    préférence,
Toi qui t'éloignes difficilement de ton ancien locataire.
Je te devine à ta façon pour ainsi dire invisible
De rôder autour de moi lorsque nul ne nous regarde
Et de t'enfuir comme quelqu'un qu'on ne doit pas voir avec
    un autre.
Fort bien, je ne dirai pas que j'ai pu te reconnaître,
Mais garde aussi notre secret, rumeur cent fois familière
De petits pas anciens dans les escaliers d'à présent.

L'ENFANT ET LA RIVIÈRE

De sa rive l'enfance
Nous regarde couler :
« Quelle est cette rivière
Où mes pieds sont mouillés,
Ces barques agrandies,
Ces reflets dévoilés,
Cette confusion
Où je me reconnais,
Quelle est cette façon
D'être et d'avoir été ? »

Et moi qui ne peux pas répondre
Je me fais songe pour passer aux pieds d'une ombre.

DANS L'OUBLI DE MON CORPS

Dans l'oubli de mon corps
Et de tout ce qu'il touche
Je me souviens de vous.
Dans l'effort d'un palmier
Près de mers étrangères
Malgré tant de distances
Voici que je découvre
Tout ce qui faisait vous.
Et puis je vous oublie
Le plus fort que je peux
Je vous montre comment
Faire en moi pour mourir.
Et je ferme les yeux
Pour vous voir revenir
Du plus loin de moi-même
Ou vous avez failli
Solitaire, périr.

MÉTAMORPHOSES

Voulant distraitement me tenir compagnie
Vous savez devenir un objet familier,
Et, métal ou miroir, lampe étroite, bougie,
Vous mettez çà et là quelque tremblant reflet.

Ou bien, pesant si peu dans l'air qui nous entoure
Vous ignorez encore où vous demeurerez,
Et, refusant de vous couler dans un objet
Vous prenez pour logis la lumière du jour.

Où donc cacherez-vous aujourd'hui votre forme,
Je fais aller mes yeux du parquet au plafond
Lorsque, derrière moi, vous entr'ouvrez la porte
Vous, vivante, au plus clair d'une tendre raison.

Sûre de vous, vous souriez dans l'embrasure
Quand j'hésitais encor entre mille figures.

C'est vous quand vous êtes partie,
L'air peu à peu qui se referme
Mais toujours prêt à se rouvrir
Dans sa tremblante cicatrice,
Et c'est mon âme à contre-jour
Si profondément étourdie
De ce brusque manque d'amour
Qu'elle n'en trouve plus sa forme
Entre la douleur et l'oubli.
Et c'est mon cœur mal protégé
Par un peu de chair et tant d'ombre
Qui se fait au goût de la tombe
Dans ce rien de jour étouffé
Tombant des astres, goutte à goutte,
Miel secret de ce qui n'est plus
Qu'un peu de rêve révolu.

VISAGES DES ANIMAUX

Visages des animaux
Si bien modelés du dedans à cause de tous les mots que
    vous n'avez pas su dire,
Tant de propositions, tant d'exclamations, de surprise bien
    contenue,
Et tant de secrets gardés et tant d'aveux sans formule,
Tout cela devenu poil et naseaux bien à leur place,
Et humidité de l'œil.
Visages toujours sans précédent tant ils occupent l'air
    hardiment !
Qui dira les mots non sortis des vaches, des limaçons, des
    serpents,
Et les pronoms relatifs des petits, des grands éléphants.
Mais avez-vous besoin des mots, visages non bourdon-
    nants,
Et n'est-ce pas le silence qui vous donne votre sereine
    profondeur,
Et ces espaces intérieurs qui font qu'il y a des vaches
    sacrées et des tigres sacrés.
Oh ! je sais que vous aboyez, vous beuglez et vous
    mugissez
Mais vous gardez pour vous vos nuances et la source de
    votre espérance
Sans laquelle vous ne sauriez faire un seul pas, ni respirer.

Oreilles des chevaux, mes compagnons, oreilles en cornet
Vous que j'allais oublier,
Qui paraissez si bien faites pour recevoir nos confidences
Et les mener en lieu sûr,
Par votre chaud entonnoir qui bouge à droite et à gauche...
Pourquoi ne peut-on dire des vers à l'oreille de son cheval
Sans voir s'ouvrir devant soi les portes de l'hôpital.
Chevaux, quand ferez-vous un clin d'œil de connivence
Ou un geste de la patte.
Mais quelle gêne, quelle envie de courir à toutes jambes
    cela produirait dans le monde
On ne serait plus jamais seul dans la campagne ni en
    forêt
Et dès qu'on sortirait de sa chambre
Il faudrait se cacher la tête sous une étoffe foncée.

Je voudrais dire avec vous, humbles pattes d'antilopes,
Ce que je ne puis penser sans vos petites béquilles,
Je voudrais dire avec vous, museau fourré du chat-tigre,
Ailes d'oiseaux et vos plumes,
Et nageoires des poissons,
Ce qui sans vous resterait cherchant une expression.
Rien ne me serait de trop,
Ni le bec de l'alouette ni le souffle du taureau,
J'ai besoin de tout le jeu de cartes des animaux,
Il me faut le dix de grive et le quatre de renard,
Et si je devais me taire
Ce serait avec la force de vos silences unis,
Silence à griffes, à mufles,
Silence à petits sabots.

BONNE GARDE

Aux confins des forêts un écureuil me garde
Et parfois il devient oiseau pour voir au loin
Puis, reprenant fourrure, il cherche et me regarde
Mais que peut-il pour moi qui pour lui ne peux rien.

Nous allongeons le cou pelé par l'ignorance.
Toujours quelque nuage au moment d'y voir clair...
Nous n'en restons pas moins dans notre vigilance
Espérant en connaître un peu plus long demain.

Mais le silence en sait plus sur nous que nous-mêmes,
Il nous plaint à part soi de n'être que vivants,
Toujours près de périr, fragiles il nous aime
Puisque nous finirons par être ses enfants.

LA PLUIE ET LES TYRANS

Je vois tomber la pluie
Dont les flaques font luire
Notre grave planète,
La pluie qui tombe nette
Comme du temps d'Homère
Et du temps de Villon
Sur l'enfant et sa mère
Et le dos des moutons,
La pluie qui se répète
Mais ne peut attendrir
La dureté de tête
Ni le cœur des tyrans
Ni les favoriser
D'un juste étonnement,
Une petite pluie
Qui tombe sur l'Europe
Mettant tous les vivants
Dans la même enveloppe
Malgré l'infanterie
Qui charge ses fusils
Et malgré les journaux
Qui nous font des signaux,
Une petite pluie
Qui mouille les drapeaux.

DOCILITÉ

La forêt dit : « C'est toujours moi la sacrifiée,
On me harcèle, on me traverse, on me brise à coups de
*   hache,*
On me cherche noise, on me tourmente sans raison,
On me lance des oiseaux à la tête ou des fourmis dans les
*   jambes,*
Et l'on me grave des noms auxquels je ne puis m'attacher.
Ah ! on ne le sait que trop que je ne puis me défendre
Comme un cheval qu'on agace ou la vache mécontente.
Et pourtant je fais toujours ce que l'on m'avait dit de faire,
On m'ordonna : « Prenez racine ». Et je donnai de la
*   racine tant que je pus,*
« Faites de l'ombre ». Et j'en fis autant qu'il était raison-
*   nable.*
« Cessez d'en donner l'hiver ». Je perdis mes feuilles
*   jusqu'à la dernière.*
Mois par mois et jour par jour je sais bien ce que je dois
*   faire,*
Voilà longtemps qu'on n'a plus besoin de me commander.
Aors pourquoi ces bûcherons qui s'en viennent au pas
*   cadencé ?*
Que l'on me dise ce qu'on attend de moi, et je le ferai,
Qu'on me réponde par un nuage ou quelque signe dans le
*   ciel,*

Je ne suis pas une révoltée, je ne cherche querelle à
  personne.
Mais il me semble tout de même que l'on pourrait bien
  me répondre
Lorsque le vent qui se lève fait de moi une questionneuse ».

LA MER SECRÈTE

Quand nul ne la regarde,
La mer n'est plus la mer,
Elle est ce que nous sommes
Lorsque nul ne nous voit.
Elle a d'autres poissons,
D'autres vagues aussi.
C'est la mer pour la mer
Et pour ceux qui en rêvent,
Comme je fais ici.

DESCENTE DE GÉANTS

Montagnes derrière, montagnes devant,
Batailles rangées d'ombres, de lumières,
L'univers est là qui enfle le dos,
Et nous, si chétifs entre nos paupières,
Et nos cœurs toujours en sang sous la peau.

Faut-il que pour nous brûlent tant d'étoiles
Et que tant de pluie arrive du ciel,
Et que tant de jours sèchent au soleil
Quand un peu de vent éteint notre voix,
Nous couchant le long de nos os dociles ?

Viendront les géants tombés d'autres mondes,
Ils enjamberont les monts, les marées,
Et vérifieront si la terre est ronde,
Par dérision, de leurs grosses mains,
Ou bien, reculant, de leurs yeux sans bords.

CHEVAUX SANS CAVALIERS

Il était une fois une cavalerie
Longuement dispersée
Et les chevaux trempaient leur cou dans l'avenir
Pour demeurer vivants et toujours avancer.

Et dans leur sauvagerie ils galopaient sans fatigue.

Tout noirs et salués d'alarmes au passage
Ils couraient à l'envi, ou tournaient sur eux-mêmes,
Ne s'arrêtant que pour mourir
Changer de pas dans la poussière et repartir.

Et des poulains fiévreux rattrapaient les juments.

Il est tant de chevaux qui passèrent ici
Ne laissant derrière eux qu'un souvenir de bruit.
Je veux vous écouter, galops antérieurs,
D'une oreille précise,
Que mon cœur ancien batte dans ma clairière
Et que, pour l'écouter, mon cœur de maintenant
Étouffe tous ses mouvements
Et connaisse une mort ivre d'être éphémère.

1939-1945

POÈMES DE LA FRANCE MALHEUREUSE

à Angélica Ocampo.

DES DEUX CÔTÉS DES PYRÉNÉES

Un son plus triste de guitare
Que s'il venait des doigts d'un mort
A traversé l'Andalousie
Et s'achemine vers le nord.
C'est une musique transie
Mais qui cherche à se faire entendre
Et se voudrait encore tendre
Quand c'est un râle au fond du sort.

Espagne, est-ce bien toi dans ces fusils qui brillent,
Est-ce ainsi que l'on meurt, par paquets inégaux,
Que vont dire tes saints de pierre et tes taureaux ?
Pour se tirer dessus ce grand air de famille...
Et de tous les côtés l'on ne voit que des frères,
Mêmes sourcils épais et visages austères,
Mille âmes mélangées à du sang tout pareil
Où s'enlise et grésille un unique soleil.

Les loups des temps passés s'en viennent aux nouvelles,
Mal réveillés, terreux, courbattus par la mort,
Ils s'avancent cherchant partout d'étranges gages,
Mais tant de mort d'un coup vite les décourage,
Ils regagnent, boitant de l'os, leurs souterrains,
Confus de ce carnage où la faim n'est pour rien.

Et vous, arbres de France, encore dépouillés,
Que sera-t-il de nous quand vous aurez des feuilles,
Vous tenez guerre et paix serrés entre vos branches
Dans votre grand secret, grave de conséquences.
Qu'allez-vous laisser choir d'entre vos clairs bourgeons,
Tout est encore en paix, l'homme avec ses sillons,
Les terres de labour, les charrois agricoles,
Mais la guerre déjà tâte nos cœurs dans l'ombre.

> Un espoir trouble nous surveille,
> Toujours prêt à nous décevoir,
> Il nous parle bas à l'oreille
> Mais du ton de quelqu'un qui ment.
> Lorsque parfois un peu de jour
> Vient donner forme à nos ténèbres
> Elles sont d'autant plus funèbres
> Que l'on en voit mieux le contour.

Europe, qu'as-tu fait de tes belles montagnes,
L'altitude avilie affronte mal le ciel,
Et nous voyons ramper les courantes campagnes
Comme des chiens voleurs qui demandent pitié.
Il était une fois des garçons et des filles
Offrant leur confiance aux profondeurs du soir,
Des bêtes douces se poussaient sentant l'Avril
Dans l'air mouillé de nuit, chemin de l'abreuvoir.
Ah! l'on ne peut plus rien regarder sans rougir,
Un temps tyrannisé pourrit l'herbe à nos pieds,
On nous a tout changé, la campagne, la ville,
Et nous sommes perdus parmi nos familiers.

(Mars 1939).

1940

... Nous sommes très loin en nous-mêmes
Avec la France dans les bras,
Chacun se croit seul avec elle
Et pense qu'on ne le voit pas.

Chacun est plein de gaucherie
Devant un bien si précieux,
Est-ce donc elle, la patrie,
Ce corps à la face des cieux?

Chacun la tient à sa façon
Dans une étreinte sans mesure
Et se mire dans sa figure
Comme au miroir le plus profond.

PARIS

O Paris, ville ouverte
Ainsi qu'une blessure,
Que n'es-tu devenue
De la campagne verte.

Te voilà regardée
Par des yeux ennemis,
De nouvelles oreilles
Ecoutent nos vieux bruits.

La Seine est surveillée
Comme du haut d'un puits
Et ses eaux jour et nuit
Coulent emprisonnées.

Tous les siècles français
Si bien pris dans la pierre
Vont-ils pas nous quitter
Dans leur grande colère ?

L'ombre est lourde de têtes
D'un pays étranger.
Voulant rester secrète
Au milieu du danger

S'éteint quelque merveille
Qui préfère mourir
Pour ne pas nous trahir
En demeurant pareille.

LA NUIT...

La nuit, quand je voudrais changer dans un sommeil
Qui ne veut pas de moi, me laissant tout pareil,
Avec mon grand corps las et sans voix pour se plaindre,
Ma cervelle allumée, et je ne puis l'éteindre,
Le mort que je serai bouge en moi sans façons
Et me dit : « Je commence à trouver le temps long,
Qu'est-ce qui peut encor te retenir sur terre,
Après notre défaite et la France en misère ».
Ne voulant pas répondre à qui partout me suit
Et cherchant plus avant un monde où disparaître,
J'étouffe enfin en moi le plus triste de l'être
Et me sens devenir l'humble fils de la nuit.

LE DOUBLE

Mon double se présente et me regarde faire,
Il se dit : « Le voilà qui se met à rêver,
Il se croit seul alors que je puis l'observer
Quand il baisse les yeux pour creuser sa misère.
Au plus noir de la nuit il ne peut rien cacher
De ce qui fait sa nuit avec ma solitude.
Même au fond du sommeil je monte le chercher,
A pas de loup, craignant de lui paraître rude
Et je l'éclaire avec mon électricité
Délicate, qui ne saurait l'effaroucher,
Je m'approche de lui et le mets à l'étude,
Voyant venir à moi ce que son cœur élude ».

LA FRANCE AU LOIN

Je cherche au loin la France
Avec des mains avides,
Je cherche dans le vide
A de grandes distances.

Je tâte de l'espace,
L'ombre désespérée,
Je reconnais la place
A d'anciennes rosées.

Tant de fois c'est d'ici
Que je l'ai retrouvée
Et sa douceur gravée
A même l'infini.

Caressant nos montagnes,
Me mouillant aux rivières,
Mes mains allaient, venaient
Fleurant la France entière.

Faites que je retrouve
Et qu'on me les redonne,
Les Français tous en groupe,
Le ciel qui les couronne.

Qu'est-elle devenue
Qu'elle ne répond plus
A mes gestes perdus
Dans le fond de la nue.

Son grand miroir poli
En forme d'hexagone
Où passaient les profils
De si grandes personnes,

Ah ! comment se fait-il
Qu'il ait cédé la place
A l'immobile face
D'un soldat ennemi.

LE RELAIS

Petite halte dans la nuit
Où le sommeil s'en va sans bruit
De mes paupières relevées.
Ce doit être ici le relais
Où l'âme change de chevaux
Pour les trois heures du matin.
Ce sont de gris chevaux de feutre,
Leurs naseaux ne frémissent pas
Et l'on n'entend jamais leurs pas
Même sous l'écorce de l'être.
J'ai beau me trouver dans mes draps
Ils me tirent sur une route
Que je ne puis apercevoir
Et j'ai beau rester à l'écoute
Je n'entends que mon cœur qui bat
Et résume dans son langage
Où je perçois quelques faux-pas
Son courage et mon décourage.
J'avance d'un pas incertain
Dans un temps proche et très lointain
Sous les décombres du sommeil.
Je suis sur les bancs de l'école
Parmi des enfants, mes pareils,
Et voilà que l'on m'interroge.

— Qui donc était si malheureux ?
— La France coupée au milieu.
— Qui souffrait d'espérer encor
Quand l'honneur même semblait mort ?
J'étais trop triste pour répondre
Et devenais larmes dans l'ombre
Puis je reprenais le chemin
Qui conduisait au lendemain,
Tiré par des chevaux sans gloire
Hors de l'enfance et de l'Histoire
Jusqu'à ce que parût enfin
Modeste, le petit matin.

LES COULEURS DE CE JOUR

Les couleurs de ce jour sont tristes sans la France,
Le bleu et le lilas, le vert, le violet
Ne trouvent en ces lieux rien à leur convenance
Demeurent suspendus, ne savent se poser.

Je ne peux plus voir clair dans ce lointain exil,
Redonnez-moi Paris que je m'y reconnaisse.
Ici tout m'est brouillard et malgré sa rudesse
Ce soleil ne sait pas descendre dans ma nuit,

Et reste sur le haut des marches, interdit.

LE PETIT BOIS

J'étais un petit bois de France
Avec douze rouges furets,
Mais je n'ai jamais eu de chance
Ah ! que m'est-il donc arrivé ?

Je crains fort de n'être plus rien
Qu'un souvenir, une peinture
Ou le restant d'une aventure,
Un parfum, je ne sais pas bien.

Ne suis-je plus qu'en la mémoire
De quelle folle ou bien d'enfants,
Ils vous diraient mieux mon histoire
Que je ne fais en ce moment.

Mais où sont-ils donc sur la terre
Pour que vous les interrogiez,
Eux qui savent que je dis vrai
Et jamais je ne désespère.

Mon Dieu comme c'est difficile
D'être un petit bois disparu
Quand on avait tant de racines
Comment faire pour n'être plus ?

TEMPS DE GUERRE

à Sara et Roberto Ibanez.

CÉLESTE APOCALYPSE

Parmi tant de sphères,
Ovales humains
Cherchant à bien faire,
Et nos faibles mains
Serrant leur destin.
Le dur éclairage
Sur tous ces visages :
Notre temps souffert.
Et nos sombres soins
De vivants se pressent,
Mais que tout est loin !
Et ce gauche essai
D'un peu de tendresse
Ou d'une caresse
Dans l'éther glacé,
Qui fige le geste
A peine amorcé
Et que parfois rident
De pâles bolides,
Soudain courroucés.

Et tous ces enfants
Toujours renaissants !
Pour souffrir son âge
On devient visage,
Dès qu'un peu de vie
Rôde dans la nuit.
Et le sourd regard
Diffus et sans vie
De ce ciel hagard
Sur nous, nos outils,
Et sur nos petits.
Grande Ourse et Verseaux,
Et vos citadelles,
Que pouvez-vous faire
D'enfants au berceau,
De leurs fontanelles ?
Visages promis
Aux célestes lances,
Les garçons, les filles,
Aux batailles d'astres !
Qui est jeune ou vieux,
Vertige des mondes ?
Sombre ou radieux,
Ténèbres qui grondent ?
Une brusque mort
Plomb, feu en furie,
Vous met dans leur tort
Les plus pures vies.
Vous déraisonnez
Cadavres sans nez,
Et sur ton visage
Où s'arrête l'âge
Se coagula
Ta part d'au-delà.
Et dans nos demeures
Se cassent les heures...
Qui souille nos lits,
Crève nos armoires,
Et force l'histoire
De nos humbles vies ?

Qui monte toujours
D'obscurs escaliers
Béants tout d'un coup
Sur l'éternité ?
Et notre corps tombe
A n'en plus finir
Verticale tombe,
Est-ce là mourir ?
Et la terre roule,
Devient une face
Emportant nos faces
Leur immense foule,
Vivantes facettes
Que ronge l'espace,
Et, malgré soi, prêtes
Aux ultimes glaces,
Et tous nos efforts
Pour avoir une âme,
Traverser la mort,
Sauver notre flamme,
Un peu s'allumant,
Beaucoup s'éteignant,
Sous cent mille vents
Qui, tous, la réclament.
Et cette fumée
Si mal enfermée
Qui monte de nous
Et, seule, résiste
A tous les remous,
Elle qui toujours,
Plus lente ou plus vite,
Retombe sur nous,
Humaine fumée,
Hiver comme été,
Notre ardente mise,
Seule liberté
Qui nous soit permise.

(Janvier 1945.)

SOUFFRIR

Quand il s'agit de bien souffrir
Le visage de l'homme est grand
Et plus profond que l'océan,
Il est grand à n'en plus finir,
Plus haut que les hautes montagnes
Et plus large que la campagne,
Et de ce front à ce menton
On peut loger commodément
Mille lieues carrées de tourment,
Le tout dans un petit moment.
Point besoin ici de fourrier
Pour préparer l'hébergement,
Le malheur peut toujours entrer
Il est reçu royalement,
Avec chair vive à la mangeoire
Et du sang frais à l'abreuvoir.
Même ce tout jeune visage
Peut contenir par temps de guerre
Tout le carnage et le tapage
Qui s'étale au loin sur la terre.
Et même sans sortir des yeux,
Sans même se tasser un peu,
On trouvera bien de la place
Pour tous les malheurs de l'espace.

O peau humaine que traverse
Misérablement la douleur,
O cœur éponge de détresse
Même lorsque tu fus sans peur
Il n'est de terre sans un cri
Que la terre des cimetières,
A tant d'étroitesse de terre
Les tortures ont abouti,
A ce mutisme délétère
Qui, serrant de près, interdit
Le murmure le plus petit.
Les visages sont sans mémoire
Sans même un peu de désespoir.
Rien n'ose plus se hasarder
Aux orbites pour regarder,
Les mains ne tentent plus leur chance
Et s'enfoncent dans du silence,
Et ne parlons pas de ces jambes,
Que sauraient-elles enjamber,
Ni de ce tronc ah ! si peu tronc
Qu'il est précipice sans fond.
Et tout notre sang dont l'office
Etait de bien distribuer
La vie et son maigre délice
Affronte l'éternel supplice
De ne pouvoir plus remuer.
Qu'on nous mette la tête en bas
Ou qu'on la sépare du corps
Tout nous est maintenant égal
Mais qui ose parler de corps
Quand le cœur ne le scande pas ?

TUERIE

Les cœurs meurent de sécheresse
Comme bétail dans un désert,
Un jour dur se désintéresse
Des meurtrissures de la terre
Où sont les étangs, les rivières,
L'humidité de la verdeur,
La terre jaune est prisonnière
Des fils de fer de la douleur.

Oh qu'il pleuve enfin sur le monde,
Que les larmes viennent aux cœurs
Et que les regards se détendent
Rendant les armes aux douleurs.
Que le sang reste dans les veines
Et n'en jaillisse tout d'un coup
Comme d'une pauvre fontaine
Qui n'en peut pas donner beaucoup.

Oh ! qu'il pleuve des herbes douces,
Avec des pétales de pluie
Et que la tendresse repousse
Dans les plaines endolories,
Que sécheresse se transforme
En persuasives rosées
Et que la soif de tant de morts
Par nos larmes soit apaisée.

Oh ! qu'il pleuve enfin sur la haine
Comme sur les buissons saignants,
Et sur les cœurs qui se méprennent
Beaucoup de pluie également,
Que le monde se cicatrise,
Que mort sanglante se dédise
Et que s'avance enfin la paix
Avec sa houle de respect !

LOURDE

à A. Ruano Fournier.

Comme la Terre est lourde à porter ! L'on dirait
Que chaque homme a son poids sur le dos.
Les morts, comme fardeau,
N'ont que deux doigts de terre,
Les vivants, eux, la sphère.
Atlas, ô commune misère,
Atlas, nous sommes tes enfants,
Nous sommes innombrables,
Toute seule est la Terre
Et pourtant et pourtant
Il faut bien que chacun la porte sur le dos,
Et même quand il dort, encore ce fardeau
Qui le fait soupirer au fond de son sommeil,
Sous une charge sans pareille !
Plus lourde que jamais, la Terre en temps de guerre,
Elle saigne en Europe et dans le Pacifique,
Nous l'entendons gémir sur nos épaules lasses
Poussant d'horribles cris
Qui dévorent l'espace.
Mais il faut la porter toujours un peu plus loin
Pour la faire passer d'aujourd'hui à demain.

HOMMAGE A LA VIE

HOMMAGE A LA VIE

C'est beau d'avoir élu
Domicile vivant
Et de loger le temps
Dans un cœur continu,
Et d'avoir vu ses mains
Se poser sur le monde
Comme sur une pomme
Dans un petit jardin,
D'avoir aimé la terre,
La lune et le soleil,
Comme des familiers
Qui n'ont pas leurs pareils,
Et d'avoir confié
Le monde à sa mémoire
Comme un clair cavalier
A sa monture noire,
D'avoir donné visage
A ces mots : femme, enfants
Et servi de rivage
A d'errants continents,

Et d'avoir atteint l'âme
A petits coups de rame
Pour ne l'effaroucher
D'une brusque approchée.
C'est beau d'avoir connu
L'ombre sous le feuillage
Et d'avoir senti l'âge
Ramper sur le corps nu,
Accompagné la peine
Du sang noir dans nos veines
Et doré son silence
De l'étoile Patience,
Et d'avoir tous ces mots
Qui bougent dans la tête,
De choisir les moins beaux
Pour leur faire un peu fête,
D'avoir senti la vie
Hâtive et mal aimée,
De l'avoir enfermée
Dans cette poésie.

FAMILLE DE CE MONDE

Et des milliers de bourgeons viennent voir ce qui se passe
    au monde
Car la curiosité de la Terre est infinie.
Et l'enfant naît et sa petite tête mal fermée encore
Se met à penser dans le plus grand secret parmi les grandes
    personnes tout occupées de lui.
Et il est tout nu sous la pression exigeante de la lumière
    du jour
Tournant de côté et d'autre ses yeux presque aveugles au
    sortir de la nuit maternelle,
Emplissant la chambre, comme il peut, de ce vagissement
    venu d'un autre monde.
Et, bien que parachevé, il s'ouvre encore à la fragilité dans
    ses délicates fontanelles
Tout en fermant très fort ses petits poings comme un
    homme barbu qui se met en colère.
Et sa mère est une géante bien intentionnée qui se dresse
    dans l'ombre et l'assume dans ses bras,
Encore stupéfaite d'entendre cette chair séparée qui a
    maintenant une voix,
Comme un pêcher qui entendrait crier sa pêche,
Ou l'olivier, son olive.
Mais dans l'ombre un sein qui blanchit dessine son cercle
    auroral

*Et des lèvres toutes neuves, à peine finies, et qui ont
    grande hâte de servir*
Tâtonnent à sa rencontre
*Jusqu'à ce qu'on entende un petit bruit de la gorge
    compréhensive*
Quand le lait se met à passer de la mère à l'enfant.
Et la vie va son chemin qu'elle sait ininterrompu
Sous le tic-tac de la pendule
*Car le Temps imbibe jour et nuit de son humidité invisible
    tout ce que nous faisons sur terre.*
Mais il ne faudrait pas oublier que le père est dans la pièce
Et sentant à l'instant même sa parfaite inutilité
Il trouve que c'est le moment de regarder par la fenêtre
*Cependant que la grandeur du monde poursuit sa route
    béante dans une profonde anesthésie,*
*Et la Terre tourne sans effort comme en pensant à autre
    chose,*
Et la Grande Ourse et Bételgeuse
*Montrent leur face inhumaine à la portière du train
    terrestre*
Qui n'a pas l'air de bouger bien qu'il avance toujours,
Et l'univers bien huilé fait moins de bruit
*Que les pieds nus de l'enfant qui frottent l'un contre
    l'autre,*
Car l'enfant est encore là, collé au globe maternel.

Montevideo, Mars 1944.

SANS NOUS

C'est la terre sans nous et les arbres sans nous,
Ma fenêtre sans moi pour écrire derrière d'une main de
    vivant,
C'est mon lit qui soutiendra un corps inconnu, de poids
    différent du mien,
Avec une tête tout autre et peut-être furieuse, qui sortira
    des couvertures,
C'est le ciel bleu quand mes yeux auront cessé d'être
    bleus,
Et que je ne serai plus une ruche visitée par la poésie.
C'est la mer qui sera encor la mer quand on m'aura
    changé
En l'ombre évasive d'un poisson dans l'eau de la mémoire
    glauque.
Et c'est le cœur de mes enfants qui continuera de battre
Lorsque je ne vivrai qu'en eux, fort maigrement à l'abri,
Car mon sang, ce vieil intrus, intimidé par leur sang jeune
Ne saura trop comment faire pour manifester sa présence
Attendant un moment plus favorable, et remettant au
    lendemain,
Puis tout d'un coup enhardi par son autorité clandestine
Il affleurera brusquement sur leur très jeune visage
Et voilà que mon enfant me ressemblera bien plus fort
Et en rougira de plaisir à moins que ce ne soit de colère.

O mes filles, l'on prétend que vous me ressemblez aussi,
Comment fîtes-vous pour loger ce grand diable de
*   dyspeptique*
Dans votre corps féminin si parfaitement ajusté,
Et comment avez-vous pu de mon nez fort téméraire,
Composer ce nez modeste qui tient la place qu'il faut
Dans un visage très pur...
Mais ce n'est tout encore.
Alors que l'on pensait en avoir fini avec moi
Voilà que je reparais, comme un chasseur à l'affût
Dans les yeux de vos enfants,
Et, complice d'un poupon, j'agite mes bras avec lui,
Le fais crier à tue-tête,
Et nous emplissons la chambre de notre collaboration
Comme deux coqs mêlent leurs chants dans l'air matinal.
Qu'on se rassure ! Cela se passera entre os et peau,
La conversation se poursuivra dans le plus grand naturel.
On ne se doutera même pas que dans la nuit de la chair,
Il est un témoin subreptice, un témoin juge et partie,
Tant bien que mal retenu
Par l'humble cordon de brouillard qui va des enfants aux
*   aïeux.*

ARBRES

ARBRES DANS LA NUIT ET LE JOUR

Candélabres de la noirceur,
Hauts-commissaires des ténèbres,
Malgré votre grandeur funèbre
Arbres, mes frères et mes sœurs,
Nous sommes de même famille,
L'étrangeté se pousse en nous
Jusqu'aux veinules, aux ramilles,
Et nous comble de bout en bout.

A vous la sève, à moi le sang,
A vous la force, à moi l'accent
Mais nuit et jour nous ressemblant,
Régis par le suc du mystère,
Offerts à la mort, au tonnerre,
Vivant grand et petitement,
L'infini qui nous désaltère
Nous fait un même firmament.

Nos racines sont souterraines,
Notre front dans le ciel se perd
Mais, tronc de bois ou cœur de chair,
Nous n'avançons que dans nous-mêmes.

L'angoisse nourrit notre histoire
Et c'est un même bûcheron
Qui, nous couchant de notre long,
Viendra nous couper la mémoire.

Enfants de la chance et du vent,
Vous n'avez de père ni mère,
Vous êtes fils d'une grand'mère
La Terre, son vieil ornement,
Vous qui devenez innombrables
Dans vos branches comme à vos pieds
Et pouvez attraper du ciel
Aussi bien que fixer les sables.

Princes de l'immobilité,
Les oiseaux vous font confiance,
Vous savez garder le secret
D'un nid jusqu'à la délivrance.
A l'abri de vos cœurs touffus,
Vous façonnez toujours des ailes,
Et les projetez jusqu'aux nues
De votre arc secret mais fidèle.

Vous n'aurez pas connu l'amour,
O grandioses solitaires,
Toujours prisonniers de la Terre,
O Narcisses ligneux et sourds,
Ne regrettez pas l'aventure,
Heureux ceux que fixe le sort,
Ils en attendent mieux la mort,
Un voyageur vous en assure.

PINS

O pins devant la mer,
Pourquoi donc insister
Par votre fixité
A demander réponse?
J'ignore les questions
De votre haut mutisme.
L'homme n'entend que lui,
Il en meurt comme vous.
Et nous n'eûmes jamais
Quelque tendre silence
Pour mélanger nos sables,
Vos branches et mes songes.
Mais je me laisse aller
A vous parler en vers,
Je suis plus fou que vous,
O camarades sourds,
O pins devant la mer,
O poseurs de questions
Confuses et touffues,
Je me mêle à votre ombre,
Humble zone d'entente,
Où se joignent nos âmes
Où je vais m'enfonçant,
Comme l'onde dans l'onde.

S'il n'était pas d'arbres à ma fenêtre
Pour venir voir jusqu'au profond de moi,
Depuis longtemps il aurait cessé d'être
Ce cœur offert à ses brûlantes lois.

Dans ce long saule ou ce cyprès profond
Qui me connaît et me plaint d'être au monde,
Mon moi posthume est là qui me regarde
Comprenant mal pourquoi je tarde et tarde...

FEUILLE A FEUILLE

à Felisberto Hernandez.

I

Puisque le sombre humus cache
Tant de vert par devers soi
Et dans sa lourdeur compacte
Les futurs oiseaux des bois,
Arbres, vous sortez de terre,
Feuille à feuille, avec des chants
Qui sont les frais ornements
D'une commune misère.
Que vous soyez pins ou hêtres,
Chênes ou bien peupliers,
Une même façon d'être
Par le bas des prisonniers.
Et vous reprenez la place
Que le vent vous fit céder
Ne connaissant de l'espace
Que ce léger va-et-vient.
La hauteur cachée en terre,
Et se dressant peu à peu
Vous caresse et vous libère
Vers le ciel un petit peu.
Venus de la terre dense,
Humides de cent désirs,
Vous n'êtes plus qu'une essence
Et lui livrez vos soupirs.

II

Vous qui ne demandez rien,
Vous qui êtes toujours là,
Sans yeux, comme en ont les chiens,
Pour rappeler qu'ils sont là,
Arbres de mon grand jardin,
Dans un mouvement serein
Ouvrant nuit et jour les bras,
Vous nous faites oublier
Que vous ne les fermez pas,
Arbres graves, sans défauts,
Moitié tronc, moitié feuillage,
Et jamais trop peu ni trop
Ayant toujours ce qu'il faut
Pour votre immense veuvage,
Vous qui vivez parmi nous
Solitude jusqu'au cou
Malgré le vent, les oiseaux,
Et les hommes inégaux
Qui vous coupent en morceaux.
Que serviraient les regards
Ou de froncer les sourcils
Et l'avance ou le retard
Et tous les humains soucis ?
En dépit de vos racines
Vos troncs ne sont pas d'ici
Mais bien d'un pays caché
Dont nul ne peut approcher.
Et vous laissez un sillage
Sans avoir jamais bougé,
Comme les paralysés
Qu'on voit rêver sur les plages,
Vous qui nous poussez à vivre
Nous, moins que vous attachés,
A la façon d'hommes libres
Courant après leurs pensées.

A UN ARBRE

Avec un peu de feuillage et de tronc
Tu dis si bien ce que je ne sais dire
Qu'à tout jamais je cesserais d'écrire
S'il me restait tant soit peu de raison.

Et tout ce que je voudrais ne pas taire
Pour ce qu'il a de perdu et d'obscur
Me semble peu digne que je l'éclaire
Lorsque je mets une racine à nu

Dans son mutisme et ses larmes de terre.

CIEL ET TERRE

à Etiemble.

PLEIN CIEL

J'avais un cheval
Dans un champ de ciel
Et je m'enfonçais
Dans le jour ardent.
Rien ne m'arrêtait
J'allais sans savoir,
C'était un navire
Plutôt qu'un cheval,
C'était un désir
Plutôt qu'un navire,
C'était un cheval
Comme on n'en voit pas,
Tête de coursier,
Robe de délire,
Un vent qui hennit
En se répandant.
Je montais toujours
Et faisais des signes :
« Suivez mon chemin,
Vous pouvez venir,
Mes meilleurs amis,

La route est sereine,
Le ciel est ouvert.
Mais qui parle ainsi ?
Je me perds de vue
Dans cette altitude,
Me distinguez-vous,
Je suis celui qui
Parlait tout à l'heure,
Suis-je encor celui
Qui parle à présent,
Vous-mêmes, amis,
Etes-vous les mêmes ?
L'un efface l'autre
Et change en montant ».

A L'HOMME

D'où te viennent ces yeux, gîte de l'univers,
Qui peuvent englober dans leur fragile espace
Le ciel bleu aussi bien que la très proche face
De ta compagne au fond de son sourire amer,

Ce long visage offert à la lune insensée
Aussi bien qu'au soleil, si juste en ses pensées,
Ce front hospitalier où de secrets rayons,
Donnent une lumière intime mais sans fond.

Des os mal chevelus t'isoleraient des astres
Si tu ne connaissais le vertige néfaste
De te sentir tiré par le haut vers le ciel,
Et jusqu'à n'être plus qu'un vivant irréel.

Entends ce cœur où vient aboutir sans défense
Un souffle d'homme qui toujours se recommence,
Expire, et chaque fois l'univers se déchire
Mais pour te revenir, esclave qui respire.

Visage humain, virant dans ta simplicité,
O tournesol sous la grêle de tant d'étoiles,
Touchant d'être si nu, toi qui n'as pour tout voile,
Que cette âme doutant de son éternité,

Te voilà petit dieu, cent mille fois mortel,
Tel que te fit ta mère au jour de ta naissance,
Cherchant encore un sein pour quelque renaissance,
Tu serres dans tes poings crispés le fond du ciel.

CE PEU...

Ce peu d'océan, arrivant de loin,
Mais c'est moi, c'est moi qui suis de ce monde,
Ce navire errant, rempli de marins,
Mais c'est moi, glissant sur la mappemonde,
Ce bleu oublié, cette ardeur connue,
Et ce chuchotis au bord de la nue,
Mais c'est moi, c'est moi qui commence ici.
Ce cœur de silence étouffant ses cris,
Ces ailes d'oiseaux près d'oiseaux sans ailes
Volant, malgré tout, comme à tire d'ailes,
Mais c'est moi, c'est moi dans l'humain souci.
Courage partout, il faut vivre encore
Sous un ciel qui n'a plus mémoire de l'aurore !

Compagnons de silence, il est temps de partir,
De grands loups familiers attendent à la porte,
La nuit lèche le seuil, la neige est avec nous,
On n'entend point les pas de cette blanche escorte.
Tant pis si nous allons toujours dans le désert,
Si notre corps épouse une terre funèbre,
Le soleil n'a plus rien à nous dire de clair,
Il nous faut arracher sa lumière aux ténèbres.
Nous serons entourés de profondeurs austères
Qui connaissent nos cœurs pour les avoir portés,
Et nous nous compterons dans l'ombre militaire
Qui nous distribuera ses aciers étoilés.

Ce bruit de la mer où nous sommes tous,
Il le connaît bien, l'arbre à chevelure,
Et le cheval noir y met l'encolure
Allongeant le cou comme pour l'eau douce,
Comme s'il voulait quitter cette dune,
Devenir au loin cheval fabuleux
Et se mélanger aux moutons d'écume,
A cette toison faite pour les yeux,
Etre enfin le fils de cette eau marine,
Brouter l'algue au fond de la profondeur.
Mais il faut savoir attendre au rivage,
Se promettre encore aux vagues du large,
Mettre son espoir dans la mort certaine,
Baisser de nouveau la tête dans l'herbe.

RENCONTRE

Entourés de chandelles
Dont la flamme est fidèle
A notre chuchotis,
Nous allons aux nouvelles
Au milieu de la nuit.
Tous les couloirs sont vides
Et les dortoirs aussi
Et seules des étoiles
Collent à nos fenêtres
Comme de vieux espoirs
Toujours prêts à renaître,
Et qui de leurs yeux fous
Ne peuvent rien pour nous.
Mais une voix s'élance,
Fruit mûr d'un long silence :
« Je te passe une étoile,
Eteins cette chandelle,
Donne-moi ce hibou
Contre cette hirondelle
Qui fait lever le jour.
Je change tes yeux gris
Dans une autre lumière
Pour qu'il te soit permis
De voir la terre entière

Et de mieux la juger.
Je te donne un poisson
Qui n'a pas besoin d'eau,
Toujours il ressuscite
Si on l'aime assez vite
Pour qu'il se donne entier.
Prends ce vivant objet
Et pour mieux t'en servir
Protège-toi les mains
De ces gants acérés
Qui forcent le destin ».
Alors la voix se tut,
Tout redevint l'impasse
Où plus rien ne se passe
Qui ne soit attendu,
Et dans nos froides chambres,
Soufflant sur nos bougies,
Nous creusâmes ensemble
Nos fosses pour la nuit.

TU DISPARAIS

Tu disparais, déjà te voilà plein de brume
Et l'on rame vers toi comme au travers du soir,
Tu restes seul parmi les ans qui te consument
Dans tes bras la minceur de tes derniers espoirs.

Où tu poses le pied viennent des feuilles mortes
Au souffle faiblissant d'anciennes amours,
La lune qui te suit prend tes dernières forces
Et te bleuit sans fin pour ton ultime jour.

Pourtant l'on voit percer sous ta candeur chagrine
Tout ce peu qui te reste et fait battre ton cœur
Et parfois un sursaut te hausse et t'illumine
Qui suscite en ta nuit des hiboux de splendeurs.

LE JARDIN DE LA MORT

Le jardin de la mort riche d'arbres sans nombre
Continue à jamais nos plus secrets désirs,
Un regret souterrain s'y change en herbe sombre
Puisqu'il n'a pas trouvé la force de mourir.

De quelle lourde tête humaine,
Volubilis, es-tu sorti,
Et d'où vient cette grande peine
Qui se fait jour dans cet épi ?

La terre prend en amitié
Les plus humbles de nos soucis
Et recouvre plus qu'à moitié
Les cœurs privés d'humaine vie.

Mais, pauvre vie insatisfaite,
Tu voudrais relever la tête
Et tu cherches un nouveau cœur
Pour loger ton ancienne ardeur,

Ne cherche plus, c'est autre chose
Que tu trouveras dans la rose,
Dans sa fraîcheur renouvelée
Par les larmes de la rosée.

Et ne regrette rien tout bas
A la manière de naguère
Sache te livrer tout entière
Aux plantes, ne lésine pas,

Sans réticence ni colère
Fie-toi aux formes de la terre,
Mais voilà qu'enfin tu consens
A t'abandonner en tous sens.

Vois comme ta vieille folie
En mille herbes se modifie,
Regarde ton ancien courage
Le voilà devenu branchage.

L'horreur de la mort, avouée,
En feuillages s'est dénouée,
Par là-dessus un peu de vent,
C'est le nouveau contentement.

Et voici maintenant, racines et surface,
Un beau parc plus humain que la ville aux grands cris,
Et parfois un grand cerf y prend toute la place,
Vois s'étoiler le vide errant derrière lui.

LE MORT EN PEINE

Perdu parmi les pas et les ruines des astres
Et porté sur l'abîme où s'engouffre le ciel,
J'entends le souffle en moi des étoiles en marche
Au fond d'un cœur, hélas, que je sais éternel.
J'arrive de la Terre avec ma charge humaine
D'espoirs pris de panique et d'abrupts souvenirs,
Mais que faire en plein ciel d'un cœur qui se démène
Comme sous le soleil et n'a pas su mourir.
Avez-vous vu mes yeux errer dans ces parages
Où le loin et le près ignorent les rivages.
Aveugle sans bâton et sans force et sans foi,
Je cherche un corps, celui que j'avais autrefois.
Puissé-je préserver des avides espaces
Mes souvenirs rôdant autour de la maison,
Les visages chéris et ma pauvre raison
D'où je me surveillais comme d'une terrasse.
Que je sauve du moins ce vacillant trésor
Comme un chien aux longs poils sous l'écume marine
Qui tient entre ses dents son petit presque mort.
Mais voici s'avancer l'écume des abîmes...
L'univers où je suis pousse un cruel soupir
Et la gorge du ciel profonde se soulève.
Puisque tout me rejette ici, même le rêve,
Ces lieux sans terre, à quoi pourraient-ils consentir ?

Ah ! même dans la mort je souffre d'insomnies,
Je veux de l'éternel faire un peu de présent,
Je me sens encor vert pour entrer au néant
Et chante mal dans l'universelle harmonie.
Comment renoncerais-je à tant de souvenirs
Quand l'esprit encombré d'invisibles bagages
Je suis plus affairé dans la mort qu'en voyage
Et je flotte au lieu de sombrer dans le mourir.
Les quatre bouts de bois qui me tenaient sous terre
N'empêchaient pas le ciel d'entrer au cimetière,
Le monde me devient un immense radeau
Où l'âme va et vient sans trouver son niveau.
Tout se relève avec la pierre de la tombe,
Notre premier regard délivre cent colombes.
Pour qui ne possédait que sa longueur de bois,
Les arbres, c'est déjà le plus bel au-delà.

LE RESSUSCITÉ

« Moi que l'on croyait mort et couchant à la dure,
J'ai laissé dans le noir les rancœurs du tombeau.
Me voici près de vous sans une égratignure
Et je souris au jour sous un ciel resté beau.
Moi qui sonnais sous terre un cor si décevant
Et me désespérais de rester sans réponse,
Dans mes vieux vêtements de nouveau je m'enfonce
Et je regarde au loin comme font les vivants.
Ne me répliquez pas que je suis un mensonge,
Je vis plus fort que vous, j'ai fait le tour du sort,
C'est vous qui ressemblez aux figures des songes,
Vous ignorez le poids que nous donne la mort.
Que baissez-vous ainsi des paupières blessées
Quand j'avance vers vous pour vous tendre la main
Comme si je portais un manteau souterrain
Et cachais gauchement des formes dispersées ?
Eludez-vous en moi l'ombre, le contagieux,
Celui qui n'eut pas peur d'affronter le retour
Comme si je pouvais vous arracher le jour
Rien qu'en posant sur vous le regard de mes yeux.
Allez, j'ai ma fierté sous mon indifférence,
Et puisque vous craignez mon abrupt renouveau,
Je ne suis pas de ceux qui refont des avances,
Et d'un pas de vivant, je retourne au tombeau ».

O calme de la mort, comme quelqu'un t'envie
Que je ne puis nommer pour ne pas l'attrister,
Ne plus bouger, dormir d'un sommeil dilaté,
Profond comme le ciel dévoré par la nuit,

Ne plus se reprocher d'user mal de la vie
Ce peu de sable chaud, désert illimité,
Ce cœur toujours sanglant aux blessures suivies
Par des yeux sans regard, sauf pour la cruauté,

Puisque, même vivants, c'est notre mort qui mène
Le corps toujours promis aux dagues souterraines.

AUTRES POÈMES

LA CAPTIVE

Des yeux dans leur belle alliance
De couleur et de vigilance,
Et des lèvres qui savent bien
Ce qu'elles veulent comme liens,
Des bras toujours un peu ouverts,
Mais captifs de leur univers,
Que nul n'aperçoit sauf celui
Qui vous recherche et qui vous fuit,
Un buste avec un air d'arbuste
Bien droit au feuillage naissant
Pour l'œil de l'homme, caressant,
Une robe qui feint si bien
De ne rien savoir de certain
Du jeune corps qui s'y retire
Sauf ce qu'elle veut bien en dire,
Des pieds déliant leur délire
Léger, au fil de leur avance
Vers l'impossible délivrance,
De la tête aux pieds ce sourire
Qui prend sa source et son élan
Sur votre bouche et se répand.

Regardant au seuil de la rue
Si personne ne vous a vue
O vous, future, ou souvenir,
Mais pour moi, présente, et que j'aime,
Vous voilà donc prête à sortir,
Mais jamais, jamais de vous-même.

LA DORMEUSE

Puisque visages clos
Ont leur dialectique
Leurs mots et leurs répliques
Sous l'apparent repos,
Et que vous êtes deux
Avec même visage
Suivant le bel usage
Que vous faites des yeux,
Quand ceux-ci, endormis,
Quitteront le pays
Des tombantes paupières
Et lorsqu'ils s'ouvriront,
Clairs dans notre atmosphère,
Aux nuages, aux pierres,
Lianes et buissons,
Qui donc aura raison
De vous, paupières basses,
Ou de vous, l'œil ouvert,
De vous, dans notre espace,
Ou de vous, à couvert ?

VISAGES

De beaux visages se formant
Autour de ma plume avançante,
Se formant et se reformant
Me font exquise la descente
Qui va de mes yeux au papier,
M'encerclant de leur amitié.
O visages de claires filles
Qui n'avez que moi pour famille,
Que pensez-vous trouver en moi
Un père, un oncle, ou un amant,
Heureux d'être votre servant,
Ou redoutant vos jeunes lois?
O visages, rôdeurs et rares,
Comme l'âge mal nous sépare !
Et que j'aime à vous voir ainsi
Tourner autour de mes soucis,
Vous qui venez de naître au monde,
Nubiles filles de mes ondes...
L'âge m'offre de tous côtés
Ses sereines infirmités
Et pendant que je les repousse
Que vos figures me sont douces !
Ne souriez pas de mes ans,
Hôtesses, familièrement,

O filles de ma rêverie,
O plus vivantes que ma vie,
Vous que je peux vieillir d'un coup
En ne m'occupant plus de vous...
Mais ne serait-ce lâcheté
De m'en prendre à votre fierté
Quand vous ne pouvez vous défendre
Que par quelque sourire tendre.

OFFRANDE

Je cherche à vous donner
L'ombre de l'arbre vert
Et qu'elle soit pour vous
Même par ciel couvert,
O vous dont je sais bien
Le vivace visage
Bien que vous le cachiez
Chaque jour davantage,
O femme, doux pelage,
Bête toujours craintive
Et sans cesse évasive,
Aux grands yeux sans rivage,
Entourés par les lances
Que forme mon silence.

LE CLOS

Avec un mouvement
Qui vient de ses paupières,
Il fait un clos de pierres
Où il n'y avait rien,
Et puis, sans y songer,
Un second clos, de lierre,
Pour cacher le premier
Aux regards de la terre,
Et par-dessus le tout
Une petite brume
Où vous êtes aussi
O jamais importune,
Du poids de vos glycines
Devenues des fumées.
Et cela, il le fait
Avec rien qu'un petit
Battement de ses cils
Mais ne le dites pas
Il convient d'avancer
Avec indifférence
Et que rien ne se passe
Pour ceux qui ne sont pas
Dans le double secret
De tout ce faux silence.

JEUNES FILLES DE JEAN GIRAUDOUX

(In memoriam).

Elles vont toutes aux nouvelles
Toutes les belles demoiselles
De l'alinéa, du chapitre,
Collant le front à notre vitre,
Puis, nous voyant tristes ainsi,
Leurs fronts rougissent de souci.
Juliette, Bellita, Malène
Ne peuvent plus reprendre haleine.
Elles qui respiraient à l'aise
Dans ces délices si françaises,
Pressentant que le cœur de Jean
Gisait sans aucun mouvement,
Vous laissèrent à votre vie
Caractères d'imprimerie,
Ne pouvant plus tenir en place
Serrées en si petit espace.
Elles volent au cimetière,
Se tenant par leurs mains légères,
Pour interroger sur les tombes
Le marbre, les fleurs, les colombes.
Le marbre affirme qu'il est mort,
Les fleurs, les oiseaux disent non.
Hélas on sait que c'est la pierre
Qui finit par avoir raison

Et tout cœur qui s'est arrêté
Ne bat plus que d'avoir été.
La plus courageuse dit : « Jean,
Réponds-nous que tu es vivant ».
Le mort, que voulez-vous qu'il dise
Dans son argileuse chemise
Lui qui consent tant bien que mal
Aux duretés du minéral
Dans les souterrains monastiques
Des grands ordres géologiques.
Il ne répond que comme il peut,
Disant trop plutôt que trop peu,
Dans son explicite mutisme
Qui a toutes les faces du prisme,
Un mutisme à grand rendement
Et fort gauche en ménagements.
Alors les filles sans mot dire
Pour faire encore comme lui,
Regagnent bien vite ses livres
Toutes ensemble, d'un élan,
Car il ne dormira tranquille
Que ses œuvres veillant sur lui
Avec toutes leurs jeunes filles
Pour former son seul paradis.

HERMÉTISME

à Torres Garcia.

Le secret au bord des lèvres
Semble dépasser un peu,
Emergeant de ses ténèbres
Il goûte à l'air du ciel bleu.

Pris de peur sous la lumière
Il ne sait plus où aller,
Il retourne à son repaire
Le cœur, et le fait trembler.

Là, sans honte d'être à nu
Il se fait bercer et plaindre,
Ne cherchez pas à l'atteindre,
Il ne vous appartient plus.

POÈMES RÉCENTS

PLEINE MER

Mais que sont devenus les arbres,
Et comme la mer les ignore !
Même au renouveau de l'aurore
Nulle vague ne les hasarde.

Fils des terrestres méfiances
Comme ils se tiennent à distance
Sachant bien dans leur plus intime
Que l'eau déteste les racines

Dans la république pantoise
Où tout est liquide et salé
Rien de stable, tout en allé,
La mémoire aussi se déboise.

De pâles algues loin du fond
Pour les yeux des hommes simulent
Des racines en perdition
Que nulle terre ne stimule.

Mais parfois le fût d'un navire
Se dresse tout seul dans le ciel
Confus, sans feuilles, il conspire
Au reboisement irréel.

VISAGES

Vous qui faites face au soleil,
A la pluie, à l'adversité,
Visages pour l'hiver, l'été,
Voués aux rêves, aux réveils,
Dans la nuit des corps et des cœurs
Vous servez de lampes-tempête,
Et vos yeux brûlent de ferveur,
Petites flammes toutes prêtes.
Par grâce des points lumineux
Qui brillent entre vos paupières,
Vous vous dirigez sous les cieux
Nus, au-dessus de corps couverts
Vous fûtes de petits enfants
Et, sans pas, toujours avançant
A travers les jours qui vous pressent
Vous allez même à la vieillesse.

Hommes et femmes de la rue
Qui vous croisez, paroles tues,
Ainsi qu'un peuple de statues
Sans socle et toujours ambulantes,
Aux bras ballants, aux yeux arides,
N'est-ce pas coudoyer le vide
Que d'avoir peines différentes,

O visages inquiétés
De mots non sortis du silence,
Et qui cherchent leur délivrance,
O visages persécutés
A force de vous éviter,
Soudain perdus de solitude
Cédant aux lèvres qu'on élude
Voilà que vous vous rapprochez
Et l'un dans l'autre vous cachez.

GENÈSE

Encore ruisselant du jour qu'il venait de créer
Comme celui qui est pour la première fois éclairé par une
    lumière extérieure à lui,
Dieu parcourait le monde de son pas de commandement,
Suivi à distance respectueuse par un soleil luisant de
    gratitude
Et le soleil considérait les mains qui l'avaient sorti de
    l'ombre,
Il les trouvait à son goût.
Et la joie des choses créées sonnait si juste
Qu'on eût dit que chacun venait d'inventer ses propres
    couleurs
Et l'herbe était verte et le ciel, bleu, les nuages, blancs et
    obscurs,
L'arc-en-ciel luisait de toutes les couleurs à la fois !
Et chacun à travers les âges, devait garder sa robe neuve
    du premier jour
Et malgré sa taille humaine
Dieu pouvait se pencher sans effort sur les monts immenses
    et les vallées
Il était toujours à l'échelle.
Le grand et le petit, le long et le large disparaissaient
    rapidement dans son harmonie.
Et le soleil se coucha pour la première fois

Afin de laisser la place à une nuit chaleureuse, suante de signes et prodiges,

Et qui sursautait dans ses ténèbres et dans ses profondeurs encore de nos jours en gestation.

Dieu avait fait une nuit si vivante d'étoiles qu'il en marchait un peu voûté mais fièrement

Et tout ce qu'il n'avait pu créer de ses mains il le façonnait de sa pensée qui restait créatrice à des distances infinies

Et sa pensée fourbue d'avoir tant procréé au loin

Rentrait parfois au bercail.

Et Dieu songea tout d'un coup : Et ma mer qui est vide !

Alors il se cacha la tête dans l'eau salée et toute la mer aussitôt en devint poissonneuse

Et les marsouins firent des bonds à la surface,

La baleine lança son jet d'eau

Car la joie était pour chacun un secret mal gardé !

L'air essayait les oiseaux et les oiseaux, l'air,

Ils comprirent sur-le-champ qu'ils étaient faits l'un pour l'autre

Et le cheval et le taureau entraient également dans l'air

Et la girafe et le rhinocéros et les agneaux de trois jours ne cessaient de le fréquenter

Car l'air était à tout le monde sans qu'on eût besoin de se le partager,

Et pour avoir quelqu'un à qui parler de ce qu'il avait façonné, Dieu fit l'homme.

Et les visages neufs des enfants étaient des réponses

Et ceux usés des hommes et des femmes en étaient d'autres

Et les roses avec leurs pétales très silencieux étaient des réponses à des questions que nous ignorons encore

Et les arbres chevelus et les monts chauves et glacés

Et l'herbe !

Les questions ont disparu et les réponses sont restées aussi fraîches et catégoriques qu'au premier jour.

Et la face du lion avec sa barbe circulaire était aussi une réponse

Et c'est maintenant un hiéroglyphe dont nous ne parvenons pas à faire le tour et qu'il nous faut déchiffrer avec soin.

Et la haute stature de la girafe aussi bien que le tremblement du tremble ou les glands du chêne et les écureuils !

*Et Dieu se révéla tout de suite comme un grand peintre de
    paysages aux perspectives sans fin et qui ne voulaient
    rien savoir d'un cadre,*
*Un peintre de portraits en pied autour desquels on pouvait
    tourner, et si ressemblants*
Qu'ils en étaient doués de la parole et des larmes.

Océan Atlantique, 8-13 juillet 46.

VIVRE ENCORE

Ce qu'il faut de nuit
Au-dessus des arbres,
Ce qu'il faut de fruits
Aux tables de marbre,
Ce qu'il faut d'obscur
Pour que le sang batte,
Ce qu'il faut de pur
Au cœur écarlate,
Ce qu'il faut de jour
Sur la page blanche,
Ce qu'il faut d'amour
Au fond du silence.
Et l'âme sans gloire
Qui demande à boire,
Le fil de nos jours
Chaque jour plus mince,
Et le cœur plus sourd
Les ans qui le pincent.
Nul n'entend que nous
La poulie qui grince,
Le seau est si lourd.

LES NERFS

Vous qui rendez la chair pensante
Et raisonneuse sous la peau
Et sur votre route vivante
Allumez de petits cerveaux,
Cordons plus minces que vous-mêmes
Plus considérables aussi
Tantôt dans une absence blême
Ou comme des fleuves, grossis,
Nerfs, à moitié métaphysiques,
Mais plus nous-mêmes, véridiques,
Que le sang sorti de nos cœurs
Vous, nos grands froids et nos chaleurs,
O vous qui maniez la foudre
Comme Jupiter olympien
Et nous roulez dans notre poudre
Quand vous cessez d'être divins,
Je vous salue, ô téméraires,
Seigneurs à qui sommes liés
Puisque commander à ses nerfs
C'est s'en faire des alliés.
Et qui commande, père et mère,
Quand vous vous mettez en colère !
Quand vous criez en nous si fort
Et nous jetez dans notre tort !

Comme il rugit votre silence,
Dans la chair où sont vos poignards !
Nous échappons par nos regards
Quand vous nous faites violence.
Vous lardez de coups de couteaux
Nos cœurs, nos reins et nos cerveaux,
Tout vous est bon s'il est humain,
Vous nous clouez les pieds, les mains
Et jusqu'à nos pauvres cheveux
Dressés ne pouvant faire mieux !
Nerfs, signaux et points de repère
De dure guerre sous la chair,
Vous êtes aussi notre honneur
Donnant visage à notre cœur
Vous nous embrasez la poitrine
Avec vos flammes clandestines.
Grâce à vous nous sommes des hommes
Dans notre respirant décor
Et lâchant la bête de somme
Nous ne nous sentons que plus forts.
Vous n'en faites qu'à votre tête
Merci de m'avoir fait poète,
De m'avoir brûlé jour et nuit
De vos feux pour mûrir mes fruits,
De m'assassiner de vos lances,
De donner des chevaux qui pensent
A mes grands galops souterrains,
De me laisser suivre leur train.
Puissé-je sans perdre le souffle
Vous monter jusqu'au dernier gouffre,
Etalons de dessous la peau,
Pégases hantés par le haut,
Dans notre corps qui ne révèle
Ni vos sabots ni vos coups d'aile !

MADAME

O dame de la profondeur
Que faites-vous à la surface
Attentive à ce qui se passe
Regardant la montre à mon heure ?

Madame, que puis-je pour vous
Vous qui êtes-là si tacite
Ne serez-vous plus explicite
Vous qui me voulez à genoux ?

Ce regard solitaire et tendre
Aimerait à se faire entendre ?
Et c'est à lui que je me dois
Puisque vous n'avez pas de voix ?

Grande dame des profondeurs,
O voisine de l'autre monde,
Me voulez-vous en eaux profondes
Aux régions de votre cœur ?

Pourquoi me regarder avec des yeux d'otage,
Jeunesse d'au delà les âges ?
Votre fixité signifie
Qu'il faut à vous que je me fie ?

Pour quelle obscure délivrance
Me demandez-vous alliance ?

O vous toujours prête à finir
Vous voudriez me retenir
Sur ce bord même de l'abîme
Dont vous êtes l'étrange cime.

Dame qui me voulez fidèle à votre image
Voilà que maintenant vous changez de visage ?
Comment vous suivre en vos détours,
Je suis simple comme le jour.

Comment pourrais-je me fier
A ce que vous sacrifiez,
Ou pensez-vous ainsi me dire
Que changer n'est pas se trahir
Que vous vous refusez au gel
Définitif de l'éternel ?

Devez-vous donc, quoi qu'il arrive,
Demeurer secrète et furtive ?
Ecoutez, mon obscure reine,
Il est tard pour croire aux sirènes.

O vous dont la douceur étonne
Venez-vous de jours sans personne ?

Est-ce la cendre de demain
Que vous serrez dans votre main ?
Fille d'un tout proche avenir
Venez-vous m'aider à finir
Avec ce délicat sourire
Qui veut tout dire sans le dire ?

O dame de mes eaux profondes
Serais-je donc si près des ombres ?
Ou venez-vous m'aider à vivre
De tout votre frêle équilibre ?

Que faire d'un si beau fantôme
Dans mes misérables bras d'homme ?

Oh si profonde contre moi
Vous mettez toute une buée
Fragile, bien distribuée
Dessus mon plus secret miroir.

Déjà méconnaissable à tous vos changements
Pourquoi vous voilez-vous le visage à présent
Est-ce pour retrouver enfin votre figure
Véritable, après tant de touchante imposture ?

NOTE BIBLIOGRAPHIQUE

Les poèmes du présent recueil sont extraits des volumes suivants :

GRAVITATIONS. 1925. Edition remaniée en 1932. (N.R.F.).

LE FORÇAT INNOCENT. 1930. (N. R. F.). Ce recueil comprend : Oloron-Sainte-Marie, 1927. (Les Cahiers du Sud) et SAISIR. 1928. (N. R. F.) (Collection : Une œuvre, un portrait).

LES AMIS INCONNUS. 1934. (N. R. F.).

LA FABLE DU MONDE, 1938. (N. R. F.).

1939-1945, 1945. (N. R. F.).

LES POÈMES RÉCENTS sont publiés ici pour la première fois.

De nombreux poèmes de ce recueil contiennent des variantes.

TABLE

POÈMES

DÉBARCADÈRES

GRAVITATIONS

LE FORÇAT INNOCENT

TABLE   315

LA FABLE DU MONDE

NOCTURNE EN PLEIN JOUR

TABLE 317

POÈMES RÉCENTS